中國美術全集

建　築　一

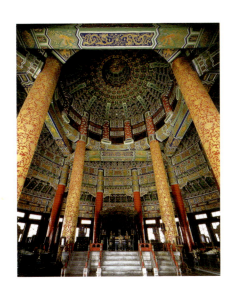

全國百佳圖書出版單位
時代出版傳媒股份有限公司
黃山書社

☆ 國家出版基金項目

圖書在版編目（CIP）數據

中國美術全集・建築/金維諾總主編；王世仁卷主編.—合肥：黄山
書社，2010.6
ISBN 978-7-5461-1371-5

I.①中⋯ II.①金⋯ ②王⋯ III.①美術—作品綜合集—中國—古代
②古建築—中國—圖集 IV.①J121 ②TU-092.2

中國版本圖書館CIP數據核字（2010）第111981號

中國美術全集・建築

| 總　主　編：金維諾 | 卷　主　編：王世仁 | 責任印製：李曉明 |
| 責任編輯：宋啓發 | 封面設計：蠹魚閣 | 責任校對：汪國梁 |

出版發行：時代出版傳媒股份有限公司(http://www.press-mart.com)
　　　　　黄山書社(http://www.hsbook.cn)
　　　　　（合肥市翡翠路1118號出版傳媒廣場7層　郵編：230071　電話：3533762）
經　　銷：新華書店
印　　刷：北京雅昌彩色印刷有限公司

開本：889×1194　1/16　　印張：74.25　　字數：78千字　　圖片：2163幅
版次：2010年12月第1版　　印次：2010年12月第1次印刷
書號：ISBN 978-7-5461-1371-5　　　　　　　　　　定價：2400圓（全四冊）

版權所有　侵權必究
（本版圖書凡印刷、裝訂錯誤可及時向承印廠調換）

《中國美術全集》編纂委員會

總　顧　問　季羨林

顧問委員會　啓　功（原北京師範大學教授）

　　　　　　俞偉超（原中國國家博物館館長、教授）

　　　　　　王世襄（原故宮博物院研究員）

　　　　　　楊仁愷（原遼寧省博物館研究員）

　　　　　　史樹青（原中國國家博物館研究員）

　　　　　　宿　白（北京大學考古文博學院教授）

　　　　　　傅熹年（中國工程院院士）

　　　　　　李學勤（中國社科院歷史所原所長、研究員）

　　　　　　耿寶昌（故宮博物院研究員）

　　　　　　孫　機（中國國家博物館研究員）

　　　　　　田黎明（中國國家畫院副院長、教授）

　　　　　　樊錦詩（敦煌研究院院長、研究員）

總　主　編　金維諾（中央美術學院教授）

副總主編　孫　華（北京大學考古文博學院教授）

　　　　　　羅世平（中央美術學院教授）

　　　　　　邢　軍（中央民族大學教授）

藝術總監　牛　昕（時代出版傳媒股份有限公司副董事長、美術編審）

《建築》卷主編　王世仁（北京古代建築研究所研究員）

《中國美術全集》出版編輯委員會

主　　任　王亞非

副 主 任　田海明　林清發

編　　委　（以姓氏筆劃爲序）

　　　　　王亞非　田海明　左克誠　申少君　包雲鳩　李桂開　李曉明

　　　　　宋啓發　沈　傑　林清發　段國强　趙國華　劉　煒　歐洪斌

　　　　　韓　進　羅鋭靭

執行編委　左克誠　宋啓發

項目策劃　羅鋭靭　沈　傑

封面設計　蠹魚閣

品質監製　李曉明　歐洪斌

凡　例

一、编　排

1.本書所選作品範圍爲中國人創作的、反映中國文化的美術品，也收録了少量外國人創作的，在中外文化交流史上具有代表性的美術品，如唐代外來金銀器、清代傳教士郎世寧的繪畫作品等。

2.根據美術品的表現形式和質地，共分爲二十餘類，合爲卷軸畫、殿堂壁畫、墓室壁畫、石窟寺壁畫、畫像石畫像磚、年畫、岩畫版畫、竹木骨牙角雕琺琅器、石窟寺雕塑、宗教雕塑、墓葬及其他雕塑、書法、篆刻、青銅器、陶瓷器、漆器家具、玉器、金銀器玻璃器、紡織品、建築等二十卷，五十册。另有總目録一册。

3.各卷前均有綜述性的序言，使讀者對相應類别美術品的起源、發展、鼎盛和衰落過程有一個較爲全面、宏觀的瞭解。

4.作品按時代先後排列。卷軸畫、書法和篆刻卷中的署名作品，按作者生年先後排列，佚名的一律置于同時期署名作品之後。摹本所放位置隨原作時間。

5.一些作品可以歸屬不同的分類，需要根據其特點、規模等情况有所取捨和側重，一般不重複收録。如雕塑卷中不收録玉器、金銀器、瓷器。當然，青銅器、陶器中有少數作品，歷來被視爲古代雕塑中的精品（如青銅器中的象尊、陶器中的人形罐等），則酌予兼收。

6.爲便于讀者瞭解大型美術品的全貌，墓室壁畫、紡織品等類别中部分作品增加了反映全貌或局部的示意圖。

二、時間問題

7.所選美術品的時間跨度爲新石器時代至公元1911年清王朝滅亡（建築類適當下延）。

8.遼、北宋、西夏、金、南宋等幾個政權的存在時間有相互重叠的情况，排列順序依各政權建國時間的先後。

9.新疆、西藏、雲南等邊疆地區的美術品，不能確知所屬王朝的（如新疆早期石窟寺），以公元紀年表示，可以確知其所屬王朝（如麴氏高昌、回鶻高昌、南詔國、大理國、高句麗、渤海國等）的，則將其列入相應的時間段中。

10.對于存在時間很短的過渡性政權，如新莽、南明、太平天國等，其間產生的作品亦列入相應的時間段中，政權名作爲作品時間注明。

11.某些政權（如先周、蒙古汗國、後金等）建國前的本民族作品，則按時間先後置于所立國作品序列中，如蒙古汗國的美術品放在元朝。

三、圖版説明

12.文字采用規範的繁體字。

13.對所選美術作品一般衹作客觀性的介紹，不作主觀性較强的評述。

14.所介紹内容包括所屬年代、外觀尺寸、形制特徵、内容簡介、現藏地等項，出土的作品儘量注明出土地點。由于資料缺乏或難以考索，部分作品的上述各項無法全部注明，則暫付闕如，以待知者。

四、目録及附録

15.爲了方便讀者查閱，目録與索引合并排印，在每一行中依次提供頁碼、作品名稱、所屬時間、出土發現地/作者、現藏地等信息。

16.爲體現美術作品發展的時空概念，每卷附有時代年表，個別卷附有分布圖，如石窟寺分布圖、墓室壁畫分布圖等。

五、其　他

17.古代地名一般附注對應的當代地名。當代地名的錄入，以中華人民共和國國務院批準的2008年底全國縣級以上行政區劃爲依據。

18.古代作者生卒年、籍貫、履歷等情況，或有不同的説法，本書擇善而從，不作考辨。

中國美術全集總目

總目録

卷軸畫

石窟寺壁畫

殿堂壁畫

墓室壁畫

岩畫 版畫

年畫

畫像石 畫像磚

書法

篆刻

石窟寺雕塑

宗教雕塑

墓葬及其他雕塑

青銅器

陶瓷器

玉器

漆器 家具

金銀器 玻璃器

竹木骨牙角雕 琺瑯器

紡織品

建築

中國古代建築藝術與建築美學

中國古代建築藝術在封建社會中發展成熟，它以漢族木結構建築爲主體，也包括各少數民族的優秀建築，是世界上延續歷史最長、分布地域最廣、風格非常明顯的一個獨特的藝術體系。中國古代建築對日本、朝鮮和越南的古代建築有直接影響，17世紀以後，也對歐洲産生過影響。

（一）中國古代建築的藝術特徵

和歐洲古代建築藝術比較，中國古代建築藝術有三個最基本的特徵：一是審美價值與政治倫理價值的統一。藝術價值高的建築，也同時發揮着維係、加强社會政治倫理制度和思想意識的作用。二是植根于深厚的傳統文化，表現出鮮明的人文主義精神。建築藝術的一切構成因素，如尺度、節奏、構圖、形式、性格、風格等，都是從當代人的審美心理出發，爲人所能欣賞和理解，没有大起大落、怪异詭譎、不可理解的形象。三是總體性、綜合性很强。古代優秀的建築作品，幾乎都是動員了當時可能構成建築藝術的一切因素和手法綜合而成的一個整體形象，從總體環境到單座房屋，從外部序列到内部空間，從色彩裝飾到附屬藝術，每一個部分都不是可有可無的，抽掉了其中一項，也就損害了整體效果。這些基本特徵具體表現爲：

1.重視環境整體經營。從春秋戰國開始，中國就有了城鄉環境整體經營的觀念。《周禮》中關于野、都、鄙、鄉、閭、里、邑、丘、甸等的規劃制度，雖然未必全都成爲事實，但至少説明當時已有了系統的大區域規劃構思。《管子·乘馬》主張，"凡立國都，非于大山之下，必于廣川之上"，説明城市選址必須考慮環境關係。中國的堪輿學説起源很早，除去迷信的外衣，絶大多數是講求環境與建築的關係。古代城市都注重將城市本體與周圍環境統一經營。秦咸陽北包北坂，中貫渭水，南抵南山，最盛時東西達到二三百里，是一個超級尺度的城市環境。長安（今陝西西安）、洛陽、建康（今江蘇南京）、北京等著名都城，其經營範圍也都遠遠超過城墻以内；即使一般的府、州、縣城，也將郊區包容在城市的整體環境中統一布局。重要的風景名勝，如五岳五鎮、佛道名山、邑郊園林等，也都把環境經營放在首位。帝王陵區，更是着重風水地理。這些地方的建築大多是靠環境來顯示其藝術的魅力。

2.單體形象融于群體序列。中國古代的單體建築形式比較簡單，大部分是定型化的式樣，孤立的單體建築不構成完整的藝術形象，建築的藝術效果主要依靠群體序列來取得。一座殿宇，在序列中作爲陪襯時，形體不會太大，形象也可能比較平淡，但若作爲主體，則可能顯得很高大。例如明清北京宮殿中單體建築的式樣并不多，但通過不同的空間序列轉換，各個單體建築才顯示了自身在整體中的獨立性格。

3.構造技術與藝術形象統一。中國古代建築的木結構體系適應性很強。這個體系以四柱二梁二枋構成了一個稱爲"間"的基本框架，間可以左右相連，也可以前後相接，又可以上下相叠，還可以錯落組合，或加以變通而成八角、六角、圓形、扇形或其他形狀。屋頂構架有抬梁式和穿斗式兩種，無論哪一種，都可以不改變構架體系而將屋面作出曲綫，并在屋角作出翹角飛檐，還可以作出重檐、勾連、穿插、披搭等式樣。單體建築的藝術造型，主要依靠間的靈活搭配和式樣衆多的曲綫屋頂表現出來。此外，木結構的構件便于雕刻彩繪，以增強建築的藝術表現力。因此，中國古代建築的造型美，很大程度上也表現爲結構美。

4.規格化與多樣化統一。中國建築以木結構爲主，爲便于構件的製作、安裝和估工算料，必然走向構件規格化，也促使設計模數化。早在春秋時的《考工記》中，就有了規格化、模數化的萌芽，至遲唐代已經比較成熟。到宋元祐三年（公元1100年）編成的《營造法式》，模數化完全定型，清雍正十二年（公元1734年）頒布的《工部工程做法則例》又有了更進一步的簡化。建築的規格化，促使建築風格趨于統一，也保證了各座建築可以達到一定的藝術水平。規格化并不過于限制序列構成，所以單體建築的規格化與群體序列的多樣化可以并行不悖，作爲一種空間藝術，顯然這是進步的成熟現象。中國古代建築單體似乎稍欠變化，但群體組合卻又變化多端，原因就是規格化與多樣化的高度統一。

5.詩情畫意的自然式園林。中國園林是中國古代建築藝術的一項突出成就，也是世界園林中的一個重要典型。中國園林以自然爲藍本，攝取了自然美的精華，又注入了富有文化素養的人的審美情趣，采取建築空間構圖的手法，使自然美典型化，升華爲園林美。其中所包含的情趣，就是詩情畫意；所采用的空間構圖手法，就是自由靈活、關聯流暢的序列設計。中國園林講究"巧于因借，精在體宜"，重視成景和得景的精微推求，以組織豐富的觀賞畫面。同時，還模擬自然山水，創造出叠山理水的特殊技藝，無論土山石山，或山水相連，都能使詩情畫意更加深濃，趣味雋永。

6.重視表現建築的性格和象徵涵義。中國古代建築藝術的政治倫理內容，要求它表現出鮮明的性格和特定的象徵涵義，爲此而使用的手法很多。最重要的是利用環境渲染出不同的情調和氣氛，使人從中獲得多種審美感受；其次是規定不同的建築等級，包括體量、色彩、式樣、裝飾等，用以表現社會制度和建築内容；同時還儘量利用許多具體的附屬藝術，直至區聯、碑刻的文字，來揭示、説明建築的性格和内容。重要的建築，如宮殿、壇廟、寺觀等，還有特定的象徵主題。例如秦始皇營造咸陽，以宮殿象徵紫微，渭水象徵天漢，上林苑掘池象徵東海蓬萊。清康熙、乾隆營造圓明園、避暑山莊和承德外八廟，模擬全國重要建築和名勝，象徵宇内一統。明堂上圓下方、五室十二堂，象徵天地萬物。某些喇嘛寺的構圖象徵須彌山佛國世界等。

（二）中國古代建築的藝術形式

中國古代建築的藝術形式由下列一些因素構成：

1.鋪陳展開的空間序列。中國建築藝術主要是群體組合的藝術，群體間的聯繫、過渡、轉換，構成了豐富的空間序列。木結構的房屋多是低層（以單層爲主），所以組群序列基本上是橫向鋪陳展開。空間的基本單位是庭院，共有三種形式：一爲十字軸綫對稱，主體建築放在中央，這種庭院多用于規格很高、紀念性很強的禮制建築和宗教建築，數量不多；二爲以縱軸爲主，橫軸爲輔，主體建築放在後部，形成四合院或三合院，大自宮殿小至住宅都廣泛采用，數量最多；三爲軸綫曲折，或没有明顯的軸綫，多用于園林空間。序列又有規整式與自由式之别，現存規整式序列最杰出的代表就是明清北京宮殿。在自由式序列中，有的庭院融于環境，序列變化的節奏較緩慢，如帝王陵園和自然風景區中的建築，也有的庭院融于山水花木，序列變化的節奏緊促，如人工經營的園林。但不論哪一種序列，都是由前序、過渡、高潮、結尾幾個部分組成，抑揚頓挫，一氣貫通。

2.規格定型的單體造型。中國古代的單體建築有十幾種名稱，但大多數形式差别不大，主要的有三種：一爲殿堂，基本平面是長方形，也有少量正方形，正圓形，很少單獨出現；二爲亭，基本面是正方、正圓、六角、八角等形狀，可以獨立于群體之外；三爲廊，主要作爲各個單座建築間的聯繫。殿堂或亭上下相叠就是樓閣或塔。早期還有一種臺榭，中心爲大夯土臺，沿臺建造多層房屋，但東漢以後即不再建造。殿堂的大小，正面以間數，側面以檁（或椽）數區别。漢以前，間有奇數也有偶數，以後即全是奇數，到清代，正面以十一間最大，三間最小，側面以十三檁最大，五檁最小。間和檁的間距有若干等級，内部柱網也有幾種定型的排列方式。正面側面間數相等，就可變爲方殿，間也可以左右前後錯落排列，出現多種變體的殿堂平面。

不論殿堂、亭、廊都由臺基、屋身和屋頂三部分組成，各部分之間有一定的比例。高級建築的臺基可以增加到二至三層，并有複雜的雕刻。屋身由柱子和梁枋、門窗組成，如是樓閣，則設置上層的橫向平座（外廊）和平座欄杆。屋頂大多數是定型的式樣，主要有硬山、懸山、歇山、廡殿、攢尖五種，硬山等級最低，廡殿最高，攢尖主要用在亭上。廊更簡單，基本上是一間的連續重複。單座建築的規格化，到清代達到頂點，《工部工程做法則例》就規定了二十七種定型形式，每一種的尺度、比例都有嚴格的規定，上自宮殿下至民居、園林，許多動人的藝術形象就是依靠爲數不多的定型化建築組合而成的。

3.形象突出的曲綫屋頂。屋頂在單座建築中占的比例很大，一般可以達到立面高度的一半左右。古代木結構的梁架組合形式，很自然地可以使坡頂形成曲綫，不僅坡面是曲綫，正脊和檐端也可以是曲綫，在屋檐轉折的角上，還可以做出翹起的飛檐。巨大的體量和柔和的曲綫，使屋頂成爲中國建築中最突出的形象。屋頂的基本形式雖然很簡單，但却可以有許多變化。例如屋脊可以增加華麗的吻獸和雕飾，屋瓦可以用灰色陶土瓦、彩色琉璃瓦以至鎏金銅瓦，曲綫可以有陡有緩，出檐可以有短有長，更可以做出二層檐、三層檐，也可以運用穿插、勾連和披搭方式組合出許多種式樣，還可以增加天窗、封火山墻，上下、左右、前後形式也可以不同。建築的等級、性格和風格，很大程度上就是從屋頂的體量、形式、色彩、裝飾、質地上表現出來的。

4.靈活多變的室内空間。使簡單規格的單座建築富有不同的個性，在室内主要是依靠靈活多變的空間處理。例如一座普通的三五間小殿堂，通過不同的處理手法，可以成爲府邸的大門、寺觀的主殿、衙署的正堂、園林的軒館、住宅的居室、兵士的值房等功能完全不同的建築。

室内空間處理主要依靠靈活的空間分隔，即在整齊的柱網中間用板壁、槅扇（碧紗櫥）、帳幔和各種形式的花罩、飛罩、博古架隔出大小不一的空間，有的還在室内部分上空增加樓閣、迴廊，把空間竪向分隔爲多層，再加以不同的裝飾和家具陳設，就使得建築的性格更加鮮明。另外，天花、藻井、彩畫、匾聯、神龕、壁藏、栅欄、字畫、燈具、幡幢、爐鼎等，在創造室内空間藝術中也都起着重要的作用。

5.絢麗的色彩。中國建築用色大膽、强烈，絢麗的色彩和彩畫，首先是建築等級和内容的表現手段。屋頂的色彩最重要，黃色（尤其是明黃）琉璃瓦屋頂最尊貴，是帝王和帝王特準的建築（如孔廟）所專用，宮殿内的建築，除極個別特殊要求的以外，不論大小，一律用黃琉璃瓦。宮殿以下，壇廟、王府、寺觀按等級用黃綠混合（剪邊）、綠色、綠灰混合；居民等級最低，祇能用灰色陶瓦。主要建築的殿身、墻身都用紅色，次要建築的木結構可用綠色，民居、園林雜用紅、綠、棕、黑等色。梁枋、斗栱、椽頭多繪彩畫，色調以青、綠爲主，間以金、紅、黑等色，以用金、用龍的有無、多少來區分等級。

清官式建築以金龍合璽爲最榮貴，雄黃玉最低。民居一般不畫彩畫，或祇在梁枋交界處畫"箍頭"。園林建築彩畫最自由，可畫人物、山水、花鳥題材。臺基一般爲磚石本色，重要建築用白色大理石。色彩和彩畫還反映了民族的審美觀。首先是多樣寓于統一，一組建築的色彩，不論多麼複雜華麗，總有一個基調，如宮殿以紅、黃暖色爲主，天壇以藍、白冷色爲主，園林以灰、綠、棕色爲主；其次是對比寓于和諧，因爲基調是統一的，所以總的效果是和諧的，雖然許多互補色、對比色同處一座建築中，對比相當強烈，但它們祇使和諧的基調更加豐富悦目，而不會干擾或取代基調；最後是藝術表現寓于内容要求，例如宮殿地位最重要，色彩也最強烈，依次爲壇廟、陵墓、廟宇，色彩的強烈程度也遞減而下，民居最普通，色彩也最簡單。

6.形式美法則。中國古代建築是一種很成熟的藝術體系，因此也有一整套成熟的形式美法則，其中包括有視覺心理要求的一般法則，也有民族審美心理要求的特殊法則，但迄今尚缺乏全面系統的總結。從現象上看，大體上有以下四方面：一是對稱與均衡。環境和大組群（如宮城、名勝風景等），多爲立軸型的多向均衡，一般組群多爲鏡面型的縱軸對稱，園林則兩者結合。二是序列與節奏。凡是構成序列轉換的一般法則，如起承轉合、通達屏障、抑揚頓挫、虚實相間等，都有所使用。節奏則單座建築規整劃一，群體變化幅度較大。三是對比與微差。很重視造型中的對比關係，形、色、質都有對比，但對比寓于統一。同時也很重視造型中的微差變化，如屋頂的曲綫，屋身的側脚、生起，構件端部的砍削，彩畫的退暈等，都有符合視覺心理的細微差别。四是比例與尺度。模數化的程度很高，形式美的比例關係也很成熟，無論城市構圖，組群序列，單體建築，以至某一構件和花飾，都力圖取得整齊統一的比例數字。比例又與尺度相結合，規定出若干具體的尺寸，保證建築形式的各部分和諧有致，符合正常人的審美心理。

（三）中國古代建築的類型風格

中國古代建築類型雖多，但可以歸納爲四種基本風格。一是莊重嚴肅的紀念型風格。大多體現在禮制祭祀建築、陵墓建築和有特殊涵義的宗教建築中。其特點是群體組合比較簡單，主體形象突出，富有象徵涵義，整個建築的尺度、造型和涵義内容都有一些特殊的規定。例如古代的明堂辟雍、帝王陵墓、大型祭壇，和佛教建築中的金剛寶座、戒壇、大佛閣等。二是雍容華麗的宮室型風格。多體現在宮

5

殿、府邸衙署和一般佛道寺觀中。其特點是序列組合豐富，主次分明，群體中各個建築的體量大小搭配恰當，符合人的正常審美尺度；單座建築造型比例嚴謹，尺度合宜，裝飾華麗。三是親切宜人的住宅型風格。主要體現在一般住宅中，也包括會館、商店等人們最經常使用的建築。其特點是序列組合與生活密切結合，尺度宜人而不曲折，建築内向，造型簡樸，裝修精緻。四是自由委婉的園林風格。主要體現在私家園林中，也包括一部分皇家園林和山林寺觀。其特點是空間變化豐富，建築的尺度和形式不拘一格，色調淡雅，裝修精緻，更主要的是建築與花木山水相結合，將自然景物融于建築之中。以上四種風格又常常交錯體現在某一組建築中，如王公府邸和一些寺廟，就同時包含有宮室型、住宅型和園林型三種類型，帝王陵墓則包括有紀念型和宮室型兩種。

由于中國古代建築的功能和材料結構長時期變化不大，所以形成不同時代風格的主要因素是審美傾向的差異；同時，由于古代社會各民族、地區間有很強的封閉性，一旦受到外來文化的衝擊，或各地區民族間的文化發生了急劇的交融，也會促使藝術風格發生變化。根據這兩點，可以將商周以後的建築藝術分爲三種典型的時代風格。一是秦漢風格。商周時期已初步形成了中國建築的某些重要的藝術特徵，如方整規則的庭院，縱軸對稱的布局，木梁架的結構體系，由屋頂、屋身、基座組成的單體造型，屋頂在立面占的比重很大等。但商、周建築也有地區的、時代的差異。春秋戰國時期諸侯割據，各國文化不同，建築風格也不統一。大體上可歸納爲兩種風格，即以齊、晋爲主的中原北方風格和以楚、吳爲主的江淮風格。秦統一全國，使秦文化走向全國範圍，漢繼承秦文化，全國建築風格趨于統一。代表秦漢風格的主要是都城、宮室、陵墓和禮制建築。其特點是：都城區劃規則，居住里坊和市場以高墙封閉；宮殿、陵墓都是很大的組群，其主體爲高大的團塊狀的臺榭式建築；重要的單體多爲十字軸綫對稱的紀念型風格，尺度巨大，形象突出；屋頂很大，曲綫不顯著，但檐端已有了“反宇”；雕刻色彩裝飾很多，題材詭譎，造型誇張，色調濃重；重要建築追求象徵涵義，雖然多有宗教性內容，但都能爲人所理解。秦漢建築奠定了中國建築的理性主義基礎，倫理內容明確，布局鋪陳舒展，構圖整齊規則，同時表現出質樸、剛健、清晰、濃重的藝術風格。二是隋唐風格。魏晋南北朝是中國建築風格發生重大轉變的階段，中原士族南下，北方少數民族進入中原，隨着民族的大融合，深厚的中原文化傳入南方，在南方形成新的文化面貌，同時地方的文化也在繼續發展。佛教在南北朝時期得到空前發展，佛教文化對傳統的文學藝術產生了重大影響，增加了傳統藝術的門類和表現手段，也改變了原有風格。同時，文人士大夫退隱山林的生活情趣和田園風景詩的出現，以及對江南秀美風景地的開發，正式形成了中國園林的美學思想和基本風格，由此也引申出浪漫主義的情調。隋唐國內民族大統一，又與西域交往頻繁，更促進了多民族間的文化藝術交流。秦漢以來傳統的理性精神中糅入了佛教的和西域的异國風味，以及南北朝以來的浪漫情調，終于形成了理性與浪漫相交織的盛唐風格。其特點是，都城氣派宏偉，方整規則；宮殿、壇廟等大組群序列恢闊舒展，空間尺度很大；建築造型渾厚，輪廓參差，裝飾華麗；佛寺、佛塔、石窟寺的規模、形式、色調异常豐富多彩，表現出中外文化密切交匯的新鮮風格。三是明清風格。五代至兩宋，中國封建社會的城市商品經濟有了巨大發展，城市生活內容和人的審美傾向發生了很顯著的變化，藝術風格也隨之改變。五代十國和宋遼金元時期，國內各民族、各地區之間的文化藝術再一次得到交流融匯；元代對西藏、蒙古地區的開發，以及對阿拉伯文化的吸收，又給傳統文化增添了新鮮血液。明代繼元又一次統一全國，清代最後形成了統一的多民族國家。中國建築終于在清朝盛期（公元18世紀）形成最後一種成熟的風格。其特點是，城市仍然規格方整，但城內封閉的里坊和市場變爲開敞的街巷，商店臨街，街市面貌生動活潑；城市中或近郊多有風景勝地，公共游覽活動場所增多；重要的建築完全定型化、規格化，但群體序列形式很多，手法很豐富；民間建築、少數民族地區建築的質量和藝術水平普遍提高，形成了各地區、各民族多種風格；私家和皇家園林大量出現，造園藝術空前繁榮，造園手法最後成熟。總之，盛清建築繼承了前代的理性精神和浪漫情調，按照建築藝術特有的規律，終于最後形成了中國建築藝術成熟的典型風格——雍容大度，嚴謹典麗，肌理清晰，而又富于人情趣味。

秦漢、隋唐、明清三個時期相距時間基本相等，它們是國家大統一、民族大融合的三個時代，也是封建社會前、中、後三期的代表王朝。作爲正面地、綜合地反映生活的建築藝術，這三種時代風格所包含的內容，顯然遠遠超出了單純的藝術範圍；建築藝術風格的典型意義和它們的反映功能，顯然也遠遠超過了建築藝術本身。

中國地域遼闊，自然條件差別很大，地區間（特別是少數民族聚居地和山區）的封閉性很強，所以各地方、各民族的建築都有一些特殊的風格，大體上可歸納爲以下八類：一是北方風格。集中在淮河以北至黑龍江以南的廣大平原地區。組群方整規則，庭院較大，但尺度合宜；建築造型起伏不大，屋身低平，屋頂曲綫平緩；多用磚瓦，木結構用料較大，裝修比較簡單。總的風格是開朗大度。二是西北風格。集中在黃河以西至甘肅、寧夏的黃土高原地區。院落的封閉性很強，屋身底矮，屋頂坡度低緩，還有相當多的建築使用平頂；少數使用磚瓦，多用土坯或夯土墙，木裝修更簡單。這個地區還常有窯洞建築，除靠崖鑿窯外，還有地坑窯、平地發券窯。總的風格是質樸敦厚。但在回族聚居地建有許多清真寺，它們體量高大，屋頂陡峻，裝修華麗，色彩濃重，與一般民間建築有明顯不同。三是江南風格。集中在長江中下游的河網地區。組群比較密集，庭院比較狹窄。城鎮中大型組群（大住宅、會館、店鋪、寺廟、祠堂等）很多，而且帶有樓房；小型建築（一般住宅、店鋪）自由靈活。屋頂坡度陡峻，翼角高翹，裝修精緻富麗，雕刻彩繪很多。總的風格是秀麗靈巧。四是嶺南風格。集中在珠江流域山岳丘陵地區。建築平面比較規整，庭院很小，房屋高大，門窗狹窄，多有封火山牆，屋頂坡度陡峻，翼角起翹更大。城鎮村落中建築密集，封閉性很强。裝修、雕刻、彩繪富麗繁複，手法精細。總的風格是輕盈細膩。五是西南風格。集中在西南山區，有相當一部分是壯、傣、瑤、苗等民族聚居地區。多利用山坡建房，爲下層架空的干欄式建築。平面和外形相當自由，很少成組群出現。梁柱等結構構件外露，祇用板壁或編蓆作爲維護屏障。屋面曲綫柔和，拖出很長，出檐深遠，上鋪木瓦或草秸。不太講究裝飾。總的風格是自由靈活。其中雲南南部傣族佛寺空間巨大，裝飾富麗，佛塔造型與緬甸類似，民族風格非常鮮明。六是藏族風格。集中在西藏、青海、甘南、川北等藏族聚居的廣大草原山區。牧民居褐色毛氈帳篷。村落居民住碉房，多爲二至三層小天井式木結構建築，外面包砌石牆，牆壁收分很大，上面爲平屋頂。石牆上的門窗狹小，窗外刷黑色梯形窗套，頂部檐端加裝飾綫條，極富表現力。喇嘛寺廟很多，都建在高地上，體量高大，色彩強烈，同樣使用厚牆、平頂，重點部位突出少量坡頂。總的風格是堅實厚重。七是蒙古族風格。集中在蒙古族聚居的草原地區。牧民居住圓形氈包（蒙古包），貴族的大氈包直徑可達10餘米，內有立柱，裝飾華麗。喇嘛廟集中體現了蒙古族建築的風格，它來源于藏族喇嘛廟原型，又吸收了臨近地區回族、漢族建築藝術手法，既厚重又華麗。八是維吾爾族風格。集中在新疆維吾爾族居住區。建築外部完全封閉，全用平屋頂，內部庭院尺度親切，平面布局自由，并有綠化點綴。房間前有寬敞的外廊，室內外有細緻的彩色木雕和石膏花飾。總的風格是外部樸素單調，內部靈活精緻。維吾爾族的清真寺和教長陵園是建築藝術最集中的地方，體量巨大，塔樓高聳，磚雕、木雕、石膏花飾富麗精緻，還多用拱券結構，富有曲綫韵律。

（四）中國古代建築的美學思想

中國古代建築以占絕對多數的、木結構爲主的漢族建築爲代表，它是世界上一個獨立的建築體系，有獨特的藝術風格。由于古代官方文士歷來都鄙視工藝技巧，更由于中國傳統的思維模式影響，歷來重視實踐經驗遠勝過理論分析，所以極少有系統的理論著作流傳下來，但從實踐經驗中可以看出，中國古代建築的美學思想是相當成熟完整的。它在春秋戰國時期基本定型，其基本的精神是，始終以人文主義爲核心，把建築藝術的理性内容——人文内涵放在首位，要求建築藝術與人的生活環境——自然環境與社會環境認同一致，同時充分發揮審美心理中某些特有的浪漫因素，努力表現豐富的審美趣味，使建築藝術呈現出理性與浪漫相交織的美。這一美學思想具體表現在以下四個方面。

1.天人合一。即追求建築形態與自然形態的統一。中國古代的"天"，主要是指作爲自然規律的"天道"；所謂天人合一，即承認世間社會的事物都和自然的天道有對應關係，建築形態也應和自然形態對應統一。春秋晚期的工藝專著《考工記》説："天有時，地有氣，材有美，工有巧，合此四者，然後可以爲良。"一切工藝材料都要合乎天時地氣，這樣才能做出美好的工藝作品，由此引伸，便形成許多重要的建築形態。首先，把自然環境與建築統一經營。"堪輿"、"相地"、"風水"學説是中國特有的建築理論，它主要研究建築與自然（地形、地貌、天候）的關係，以及建築形態的自然内涵。如楚靈王造章華之臺，首先注意到的就是整體地理環境："前方淮之水，左洞庭之波，右顧彭蠡之隩，南望巫山之阿。"（邊讓《章華臺賦》）謝靈運在會稽山中築山居，自己作《山居賦》描寫："左湖右江，往渚還汀，背山面阜，東阻西傾；抱含吸吐，款跨紆縈，綿聯邪亘，側直齊平。"中國園林創作以"相地"爲根本，"園地惟山林最勝，自成天然之趣，不煩人事之功"（計成《園冶》），人造景物應當順應自然，富有自然形態。其次，中國人很早就認爲，自然界是一個結構明晰的、和諧而有秩序的整體，因此建築也特別強調和諧統一，主次分明，邏輯清楚。爲此，從法令典章到工師的做法，對建築的格局、體量、式樣、裝飾，都有嚴密的規矩尺度，表現出明確的結構機能。第三，中國建築還特別重視建築的象徵作用，而象徵的内容又絶大多數與自然有關。其中，陰陽、五行、八卦和與之有關的"象"、"數"，是對自然世界的符號化抽象，也往往是建築形象的重要内涵，還是"堪輿"、"相地"的立論基礎。象徵的主題還常取具象的自然形態。如秦始皇營造咸陽，以正殿爲紫微星座，渭水貫都爲銀河，南山之顛爲門闕，挖池築島爲東海仙山；漢長安城南北城墻曲折，象徵南北二斗，號稱斗城（見《三輔黄圖》）；長安宮殿，"體象乎天地，經緯乎陰陽，據坤靈之正位，仿太紫之圓方"（班固《西都賦》），都是以天體地貌爲象徵的主題。至于中國的園林更是以模擬自然爲創作指導思想。"雖由人作，宛自天開"（《園冶》），"自然天成就地勢，不待人力假虛設"（康熙《芝迤雲堤》詩），"因山構室者其趣恒佳"（乾隆《塔山西面記》）。中國園林是中國建築中成就最高的類型之一，它集中體現了人與自然和諧共處的觀念。

2.美善合一。即重視社會價值與審美價值的統一。這是中國古代文化主流儒家的美學思想的核心，即孔子所謂"盡美矣，又盡善也"（《論語・八佾》）。美善合一首先表現在以社會的基本單元──家庭聚居的住宅爲建築的基本形態。至少從西周開始，四合院的基本形制已經形成，一個四合院或其變體三合院是一個封閉而内向的空間單元，正是一個以血緣爲紐帶的家庭縮影，它的主次分明，軸綫貫通，體現出一個家庭長幼、尊卑、嫡庶的關係。家庭按血緣橫向繁衍成爲家族，四合院也橫向排列成爲組群以至街區。在藝術形象上，四合院外封内敞，簡樸均衡，反映出中國人追求平穩、和諧内向和講求秩序的審美心理。作爲融社會功能和審美功能爲一體的代表形象，其他建築如衙署、會館、王府以至宮殿、寺廟、陵墓全都是四合院的延伸擴大。其次，中國建築的藝術形象還體現了等級分明的社會制度，既是嚴格的典章，又有美的形態，也就是禮樂相和。歷代的禮制（如《營繕令》、第宅制等）對都市、房屋、陵墓的規模和形式都有明文規定，而這些規定又都呈現出和諧的、富有節奏感的美的形式。如王城九里見方，諸侯、大夫、士城按七、五、三里遞減。宗廟，天子七廟，諸侯五，大夫三，士一；天子宗廟臺高九尺，諸侯以下分別爲七、五、三尺（以上爲"周禮"）。住宅（唐制）三品以上堂舍五間九架，門屋三間五架；四五品堂舍五間七架，門屋三間兩架；六七品堂舍三間五架，門屋一間兩架。墳墓（唐制）一品墓地方九十步，墳高十八尺；二、三、四、五、六品墓地遞減爲方八十、七十、六十、五十、四十步，墳高減爲十六、十四、十二、十、八尺，等等。第三，爲了加强建築藝術的社會功能，還大量借助其他藝術手段强化人們的認識，如利用繪畫、雕刻、工藝品，甚至音樂的渲染，以突出建築的性格；更進一步，還利用匾、聯、牌、碑、壁的題字來提示、説明建築的内涵，這是中國古代特有的審美思想所産生的特有手法。

3.剛柔合一。即講究陽剛壯美與陰柔優美的統一。中和之美是傳統藝術一貫追求的最高境界，因爲建築是物質實體，又基本是方整的幾何體，體量巨大，還要靠艱苦的勞動才能建成，這本身就體現出陽剛的氣質，所以《易・繫辭》以"大壯"卦象（上震☳，下乾☰）代表宮室（即地上房屋），震、乾都屬陽亢卦類。爲調和這種陽剛的氣質，取得中和之美，中國建築所追求的是剛柔相濟，而側重面則在發揮其柔性精神，也就是力求在陽剛壯美的實體中滲入陰柔優美的因素。風水書《管氏地理指蒙》説："方者執而多忤，圓者順而有情"，建築形象應當"方圓相勝"。圓，即是柔順、彎曲、虛空、靈透。在總體格局上，雖有明確的貫通軸綫，但在使用上却是層層阻隔，交通路綫曲折宛轉。如一個四合院住宅，人必須過小巷，進大門，繞影壁，邁二門，穿游廊，才能進入堂屋，走的正是一條彎曲的路綫。在建築造型上，則充分利用曲綫、曲面、曲體來表現柔性，其中最重要的就是高度占整個立面一半或更多的内凹曲面大屋頂，它使得巨大的體量顯得飄逸輕揚。木結構的許多重要構件，如柱、梁、斗栱的端部也儘可能作出曲綫。虛空是體現柔性精神的又一個重要方面，《道德經》説："鑿户牖以爲室，當其無，有室之用。故有之以爲利，無之以爲用。"在中國人看來，有"用"的正是屋頂墻壁以内的空間，引伸而爲房屋圍合的庭院、天井等虛、無的空間。所以，中國古代建築中的實體房屋大多定型規格，而匠師的藝術構思主要用在那些虛無的空間組合方面，而正是這些虛無的部分，才將實體的建築襯托得富有個性，富有風格。爲此，在群體序列中大量使用半通半隔的游廊，使之成爲虛實間的過渡；在建築的正面，又常設置前廊，并配以挂落、楣子、欄杆，還有的設置露臺、階、陛，以加强虛實融合感；在室内，則常用半封半透的各種罩（飛罩、花罩、几腿罩、欄杆罩、炕罩等）、博古格、碧紗橱等，以强調靈透感。至于中國園林，更可以説是非曲不成園，非虛不成景，非透不成屋。

4.工藝合一。即堅持技術法則與藝術構思的統一。中國古時工、藝不分，故没有脱離實際操作的專業建築師，中國古代建築也基本上没有脱離了藝術造型的結構和實用構件，或脱離了結構和實用功能的藝術手法。大膽暴露一切結構構件，甚至許多重要的建築不裝天花板；但同時又對構件儘可能從各方面加以藝術處理，直至鋪滿彩繪。屋頂部分是最典型的工藝合一，中國的木結構屋頂，無論是抬梁式或是穿斗式，其檩條間的高度可以自由決定，使各段椽木的斜度不必一致，因而可以形成凹曲的屋面；在角部，則可調整兩個角梁的關係，作出各種起翹形式的翼角。在設計總體結構時，充分利用構造的技術邏輯，適當加以處理，使之轉變成爲審美邏輯。如柱子布局，柱間距由中向外逐漸收小，高層建築則逐層向内收進，正面柱子由中心向外逐間升高（升起），由外向内略傾（側脚），這些既是穩定構架所需，也符合審美經驗中的穩定感和節奏感。結構的"模數"制，是工藝統一的深化。宋代用"材"爲模數，其比例3:2；清代改用"斗口"和柱徑，斗口是"材"的簡化，用于大型建築，柱徑用于小型建築。一切構件的尺度和建築各部分的比例關係，都用它們的倍數和分數確定。既便于施工，又符合形式美法則。中國建築中的許多重要裝飾，如臺基、柱礎，斗栱、窗櫺、彩畫、瓦飾等，都有其實用的功能。從創作方法上看，大量建築都是程式化的形式，但同是一種程式，却極少有完全相同的建築；若是群體，則更是變化多端。這就是因爲匠師們在運用程式時，注入了自己的構思，時時有所創新。工藝合一的創作方法決定了中國古代建築既是嚴格定型的，又有豐富微妙的變化，既是簡單的結構實體，又充滿了無窮的空靈韵味。

目　　錄

典章建築

宮殿建築

頁碼	名稱	所在地
3	秦阿房宮前殿遺址	陝西西安市三橋鎮阿房村
4	秦阿房宮始皇上天臺遺址	陝西西安市三橋鎮阿房村
5	西漢未央宮椒房殿遺址	陝西西安市未央區未央宮鄉
6	西漢桂宮二號建築遺址全景	陝西西安市未央區未央宮鄉
8	唐大明宮含元殿遺址	陝西西安市龍首塬
9	唐大明宮麟德殿遺址	陝西西安市龍首塬
12	渤海國上京龍泉府宮城第二宮殿遺址	黑龍江寧安市渤海鎮
13	元中都宮城中心大殿遺址臺基	河北張北縣饅頭營鄉白城子村
14	南京明故宮午門	江蘇南京市
15	南京明故宮五龍橋	江蘇南京市
16	天安門正面	北京東城區
19	紫禁城全景	北京東城區
20	紫禁城午門	北京東城區
22	紫禁城太和門	北京東城區
26	紫禁城外朝三大殿	北京東城區
28	紫禁城太和殿	北京東城區
32	紫禁城中和殿	北京東城區
36	紫禁城乾清門	北京東城區
39	紫禁城乾清宮	北京東城區
42	紫禁城交泰殿	北京東城區
43	紫禁城坤寧宮	北京東城區
44	紫禁城皇極門	北京東城區
45	紫禁城寧壽門	北京東城區
47	紫禁城皇極殿	北京東城區
48	紫禁城乾隆花園	北京東城區
53	紫禁城暢音閣戲樓	北京東城區
54	紫禁城內右門	北京東城區

頁碼	名稱	所在地
55	紫禁城遵義門內照壁	北京東城區
55	紫禁城養心門	北京東城區
56	紫禁城養心殿	北京東城區
58	紫禁城儲秀宮內景	北京東城區
58	紫禁城太極殿啓祥門	北京東城區
59	紫禁城雨花閣	北京東城區
60	紫禁城漱芳齋戲臺	北京東城區
62	紫禁城御花園	北京東城區
65	紫禁城神武門	北京東城區
66	紫禁城角樓	北京東城區
71	瀋陽故宮大政殿與十王亭	遼寧瀋陽市
74	瀋陽故宮崇政殿	遼寧瀋陽市
76	瀋陽故宮鳳凰樓	遼寧瀋陽市
77	瀋陽故宮清寧宮	遼寧瀋陽市
78	瀋陽故宮文溯閣	遼寧瀋陽市

苑囿行宮建築

頁碼	名稱	所在地
80	秦碣石宮遺址全景	遼寧綏中縣萬家鎮
83	西漢南越王宮署御苑遺址石板平橋和步石	廣東廣州市越秀區
84	西漢南越王宮署御苑遺址石渠	廣東廣州市越秀區
84	西漢南越王宮署御苑遺址彎月形石池	廣東廣州市越秀區
85	隋仁壽宮（唐九成宮）37號殿址全景	陝西麟游縣
87	唐華清宮蓮花湯遺址	陝西西安市臨潼區
88	唐華清宮海棠池遺址	陝西西安市臨潼區
88	唐華清宮梨園和小湯遺址	陝西西安市臨潼區
89	頤和園佛香閣	北京海淀區
90	頤和園衆香界和智慧海	北京海淀區
91	頤和園長廊	北京海淀區
94	頤和園德和園大戲樓	北京海淀區
95	頤和園須彌靈境	北京海淀區

頁碼	名稱	所在地
96	頤和園諧趣園	北京海淀區
98	頤和園畫中游	北京海淀區
99	頤和園廊如亭	北京海淀區
99	頤和園薈亭	北京海淀區
100	頤和園清晏舫	北京海淀區
102	頤和園十七孔橋	北京海淀區
104	頤和園玉帶橋	北京海淀區
104	頤和園後湖	北京海淀區
105	北海堆雲牌坊	北京西城區
106	北海白塔	北京西城區
108	北海五龍亭	北京西城區
108	北海静心齋	北京西城區
109	北海濠濮間	北京西城區
109	北海觀音殿	北京西城區
110	北海九龍壁	北京西城區
112	團城承光殿	北京西城區
113	中南海瀛臺	北京西城區
114	中南海流水音	北京西城區
114	中南海静谷	北京西城區
115	中南海春藕齋	北京西城區
115	中南海牣魚亭	北京西城區
116	避暑山莊園區	河北承德市
117	避暑山莊澹泊敬誠殿	河北承德市
118	避暑山莊烟波致爽殿内景	河北承德市
119	避暑山莊金山	河北承德市
120	避暑山莊烟雨樓	河北承德市
121	避暑山莊水心榭	河北承德市
121	避暑山莊水流雲在	河北承德市
122	避暑山莊環碧	河北承德市
122	避暑山莊文津閣	河北承德市
123	圓明園大水法	北京海淀區
125	圓明園遠瀛觀	北京海淀區
127	圓明園方外觀	北京海淀區
127	圓明園諧奇趣	北京海淀區

頁碼	名稱	所在地
129	圓明園萬花陣花園	北京海淀區
130	靜明園玉峰塔	北京海淀區
130	靜明園湖山罨畫坊	北京海淀區
131	靜宜園琉璃塔	北京海淀區
131	靜宜園見心齋	北京海淀區
132	靜宜園昭廟	北京海淀區
132	靜宜園西山晴雪碑	北京海淀區
133	古蓮花池臨漪亭	河北保定市
134	古蓮花池古蓮池坊	河北保定市
134	古蓮花池高芬軒	河北保定市
135	羅布林卡金色頗章	西藏拉薩市
136	羅布林卡措吉頗章	西藏拉薩市
136	羅布林卡新宮	西藏拉薩市

壇廟建築

頁碼	名稱	所在地
137	隋唐圜丘遺址	陝西西安市陝西師範大學
139	天壇祈年殿	北京崇文區
143	天壇皇乾殿	北京崇文區
143	天壇皇穹宇	北京崇文區
145	天壇圜丘壇	北京崇文區
148	天壇齋宮	北京崇文區
149	地壇牌坊	北京東城區
149	地壇齋宮	北京東城區
150	地壇方澤壇	北京東城區
150	地壇皇祇室	北京東城區
151	日壇祭壇	北京朝陽區
152	月壇具服殿	北京西城區
153	社稷壇五色土和拜殿	北京西城區
154	社稷壇享殿	北京西城區
154	先農壇觀耕臺	北京宣武區永定門內大街

頁碼	名稱	所在地
155	先農壇太歲殿	北京宣武區永定門內大街
155	先蠶壇蠶館	北京西城區
156	岱廟岱廟坊	山東泰安市泰山
157	岱廟御碑亭	山東泰安市泰山
157	岱廟銅亭	山東泰安市泰山
158	岱廟天貺殿	山東泰安市泰山
161	岱廟角樓	山東泰安市泰山
163	曲陽北岳廟德寧殿	河北曲陽縣
164	曲陽北岳廟御香亭	河北曲陽縣
165	南岳廟正殿	湖南衡陽市衡山
166	南岳廟御碑亭	湖南衡陽市衡山
166	南岳廟奎星閣	湖南衡陽市衡山
167	中岳廟天中閣	河南登封市嵩山
168	中岳廟遥參亭	河南登封市嵩山
168	中岳廟崧高峻極坊	河南登封市嵩山
169	中岳廟中岳大殿	河南登封市嵩山
170	西岳廟石牌坊	陝西華陰市
171	西岳廟灝靈殿	陝西華陰市
171	西岳廟五鳳樓	陝西華陰市
172	北鎮廟御香殿	遼寧北鎮市醫巫閭山
174	北鎮廟石牌坊與山門	遼寧北鎮市醫巫閭山
174	北鎮廟神馬門及鐘鼓樓	遼寧北鎮市醫巫閭山
175	海寧海神廟大殿	浙江海寧市鹽官鎮
176	濟瀆廟清源洞府門	河南濟源市廟街村
176	濟瀆廟臨淵門	河南濟源市廟街村
177	濟瀆廟寢宮	河南濟源市廟街村
177	濟瀆廟龍池	河南濟源市廟街村
178	宿遷龍王廟全景	江蘇宿遷市皂河鎮
178	宣仁廟大殿與後殿	北京東城區北池子大街
179	歷代帝王廟廟門	北京西城區
179	歷代帝王廟景德門	北京西城區
180	歷代帝王廟景德崇聖殿	北京西城區
181	太廟琉璃頂磚門	北京東城區
182	太廟戟門	北京東城區

頁碼	名稱	所在地
182	太廟井亭	北京東城區
183	太廟正殿	北京東城區
183	太廟寢宮	北京東城區
184	景山壽皇殿	北京西城區
185	孔廟全景	山東曲阜市
186	孔廟萬仞宮墻	山東曲阜市
186	孔廟金聲玉振坊	山東曲阜市
187	孔廟德侔天地坊	山東曲阜市
187	孔廟聖時門	山東曲阜市
188	孔廟奎文閣	山東曲阜市
189	孔廟杏壇	山東曲阜市
190	孔廟大成殿	山東曲阜市
194	孔廟金代碑亭	山東曲阜市
195	孔廟元代碑亭	山東曲阜市
196	北京孔廟先師門	北京東城區成賢街
196	北京孔廟進士題名碑	北京東城區成賢街
197	北京孔廟大成殿	北京東城區成賢街
198	平遥文廟大成殿	山西平遥縣雲路街
199	代縣文廟大成殿	山西代縣
200	韓城文廟泮池及石橋	陝西韓城市金城區東學巷
200	韓城文廟大成殿	陝西韓城市金城區東學巷
201	韓城文廟尊經閣	陝西韓城市金城區東學巷
201	武威文廟狀元橋與欞星門	甘肅武威市
202	武威文廟大成殿	甘肅武威市
202	武威文廟尊經閣	甘肅武威市
203	貴德文廟大成殿	青海貴德縣河陰鎮
203	貴德文廟花園	青海貴德縣河陰鎮
204	蘇州文廟欞星門	江蘇蘇州市人民路
204	蘇州文廟大成殿	江蘇蘇州市人民路
205	富順文廟欞星門石坊	四川富順縣富世鎮解放街
205	富順文廟大成殿	四川富順縣富世鎮解放街
206	德陽文廟全景	四川德陽市文廟街
206	岳陽文廟大成殿	湖南岳陽市郭亮街
207	寧遠文廟大成殿	湖南寧遠縣

頁碼	名稱	所在地
208	泉州府文廟大成殿	福建泉州市鯉城區中山路
209	漳州府文廟大成殿	福建漳州市薌城區修文西路
209	廣東德慶學宮大成殿	廣東德慶縣德城鎮
210	建水文廟先師殿	雲南建水縣建中路
211	孟廟亞聖廟坊	山東鄒城市
212	孟廟亞聖殿	山東鄒城市
213	顏廟復聖廟坊	山東曲阜市
213	顏廟優入聖域坊	山東曲阜市
214	顏廟復聖殿	山東曲阜市
214	顏廟顧樂亭	山東曲阜市
215	解州關帝廟鐘樓	山西運城市解州鎮
216	解州關帝廟崇寧殿	山西運城市解州鎮
217	解州關帝廟御書樓	山西運城市解州鎮
218	解州關帝廟氣肅千秋坊	山西運城市解州鎮
219	解州關帝廟春秋樓	山西運城市解州鎮
220	伏羲廟牌坊	甘肅天水市秦州區
221	伏羲廟太極殿	甘肅天水市秦州區
222	太昊陵廟午朝門	河南淮陽縣
222	太昊陵廟全景	河南淮陽縣
223	晉祠聖母廟牌坊	山西太原市
224	晉祠聖母廟獻殿	山西太原市
224	晉祠水鏡臺	山西太原市
225	晉祠魚沼飛梁	山西太原市
226	晉祠聖母殿	山西太原市
229	晉祠石塘和不繫舟	山西太原市
229	晉祠水母樓	山西太原市

陵墓建築

頁碼	名稱	所在地
230	漢陽陵南闕門東闕臺建築遺址	陝西咸陽市渭城區正陽鎮
230	漢陽陵2號建築遺址	陝西咸陽市渭城區正陽鎮

7

頁碼	名稱	所在地
231	漢杜陵陵寢園遺址	陝西西安市
232	西漢梁孝王后墓前庭	河南永城市保安山
233	西漢梁孝王墓寢園寢殿遺址	河南永城市保安山
234	梁吳平忠侯蕭景墓神道石辟邪	江蘇南京市
234	梁文帝蕭順之建陵神道石刻	江蘇南京市
235	高句麗將軍墳	吉林集安市
236	唐乾陵神道無字碑碑亭基址	陝西乾縣
236	唐乾陵神道六十一王賓像	陝西乾縣
237	南唐欽陵中室	江蘇南京市江寧區牛首山
238	南唐順陵墓室	江蘇南京市江寧區牛首山
239	南漢康陵陵園東北角闕遺址	廣東廣州市番禺區新造鎮小谷圍島大香山
239	南漢康陵地宮中室俊室	廣東廣州市番禺區新造鎮小谷圍島大香山
240	前蜀永陵墓室	四川成都市永陵東路
241	宋永定陵全景	河南鞏義市
242	西夏陵鳥瞰	寧夏銀川市賀蘭山
247	金中都皇陵踏道	北京房山區大房山
248	金中都皇陵碑亭遺址	北京房山區大房山
249	明皇陵神道	安徽鳳陽縣
249	明皇陵神道望柱	安徽鳳陽縣
250	明孝陵神道石像生	江蘇南京市鍾山
251	明孝陵御橋	江蘇南京市鍾山
251	明孝陵享殿遺址	江蘇南京市鍾山
252	明孝陵方城和明樓	江蘇南京市鍾山
253	明祖陵神道	江蘇盱眙縣楊家墩
253	明祖陵神道石獅和望柱	江蘇盱眙縣楊家墩
254	明十三陵石牌坊	北京昌平區天壽山
255	明十三陵大紅門	北京昌平區天壽山
255	明十三陵神功聖德碑亭	北京昌平區天壽山
256	明十三陵神道	北京昌平區天壽山
256	明十三陵長陵	北京昌平區天壽山
260	明十三陵定陵	北京昌平區天壽山
263	明顯陵金水橋和神道	湖北鍾祥市松林山
263	明顯陵龍鳳門	湖北鍾祥市松林山
264	明顯陵明樓和內明塘	湖北鍾祥市松林山

頁碼	名稱	所在地
265	明楚昭王墓主體建築群	湖北武漢市武昌區東龍泉山
266	明蜀僖王墓地宮入口	四川成都市龍泉驛區十陵鎮石靈山
267	明蜀僖王墓地宮中室	四川成都市龍泉驛區十陵鎮石靈山
268	明潞簡王墓潞藩佳城坊	河南新鄉市鳳凰山
269	明潞簡王墓神道石像生	河南新鄉市鳳凰山
269	明潞簡王墓墳園內院	河南新鄉市鳳凰山
270	明潞簡王墓方城明樓碑和石五供	河南新鄉市鳳凰山
270	明潞簡王墓地宮	河南新鄉市鳳凰山
271	清永陵四祖碑亭	遼寧新賓滿族自治縣永陵鎮
271	清福陵石牌樓	遼寧瀋陽市
272	清福陵神功聖德碑樓	遼寧瀋陽市
273	清福陵隆恩門	遼寧瀋陽市
273	清福陵明樓	遼寧瀋陽市
274	清昭陵石牌坊	遼寧瀋陽市
275	清昭陵隆恩門	遼寧瀋陽市
275	清昭陵隆恩殿	遼寧瀋陽市
277	清東陵孝陵	河北遵化市馬蘭峪鎮昌瑞山
279	清東陵裕陵	河北遵化市馬蘭峪鎮昌瑞山
284	普陀峪清定東陵全景	河北遵化市馬蘭峪鎮昌瑞山
284	普陀峪清定東陵隆恩殿	河北遵化市馬蘭峪鎮昌瑞山
286	普陀峪清定東陵琉璃門	河北遵化市馬蘭峪鎮昌瑞山
287	普陀峪清定東陵明樓	河北遵化市馬蘭峪鎮昌瑞山
287	清西陵泰陵	河北易縣永寧山
289	清西陵慕陵	河北易縣永寧山
291	大禹陵全景	浙江紹興市會稽山禹陵村
292	孔林神道萬古長春坊	山東曲阜市
293	孔林神道西碑亭	山東曲阜市
293	孔林至聖林坊	山東曲阜市
294	孔林二林門城樓	山東曲阜市
294	孔林甬道石獸和石人	山東曲阜市
295	孔林享殿	山東曲阜市
295	孔林孔子墓	山東曲阜市

典 章 建 築

【 典章建築 】

宮殿建築

秦阿房宮遺址

位于陝西省西安市三橋鎮阿房村附近。始建于秦始皇三十五年（公元前212年）。總面積約8平方公里，現存遺址主要有前殿遺址和上天臺遺址。前殿爲阿房宮主體建築，平面呈長方形，東西長1320米，南北長420米，臺基爲夯築，高出地面3-9米。上天臺遺址現存形狀爲圓形的夯土臺，底邊周長230米，高15米。

秦阿房宮前殿遺址

位于陝西西安市三橋鎮阿房村秦阿房宮遺址内。

【 典章建築 】

宮殿建築

秦阿房宮始皇上天臺遺址
位于陝西西安市三橋鎮阿房村秦阿房宮遺址內。

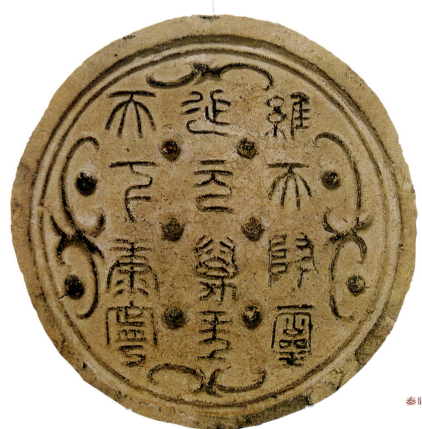

秦阿房宮遺址出土瓦當

[典章建築]

西漢未央宮遺址

位于陝西省西安市未央區未央宮鄉。建于西漢初期，是大朝所在地，位于漢長安城西南角。平面近方形，東西長2150米，南北長2250米。近年來發掘了未央宮椒房殿和少府等遺址。椒房殿爲皇后居所，由正殿、配殿和附屬建築組成。正殿長方形，東西長54.7米，南北長29–32米，周圍有迴廊和散水。少府爲官署，東西長210米，南北長80米。

西漢未央宮椒房殿遺址

位于陝西西安市未央區未央宮鄉西漢未央宮遺址内。

【 典章建築 】

宮殿建築

西漢桂宮遺址
　　位于陝西省西安市未央區六村堡鄉夾城堡村，是漢武帝爲后妃修建的日常起居之所。位于未央宮北面，平面長方形，東西800米，南北1800米。近年發掘了二號建築遺址，其主殿臺基東西長51.1米，南北長29米，周圍有廊道和散水，主殿北面置庭院。

西漢桂宮二號建築遺址全景
位于陝西西安市未央區未央宮鄉西漢桂宮遺址內。

6

【典章建築】

宮殿建築

西漢桂宮二號建築遺址殿堂北部西通道

西漢桂宮二號建築遺址南部卵石散水及瓦片砌就的路

典章建築

唐大明宮遺址

位于陕西省西安市城北龍首塬上。始建于唐貞觀八年（公元634年），晚唐毀于兵火。宮城平面呈不規則長方形，面積約3.2平方公里，由南至北爲外朝宮殿、內廷殿堂和以太液池爲中心的園林區。現已發掘了含元殿和麟德殿遺址。含元殿爲大明宮的正殿，殿基東西長75.9米，南北長41.3米，高出地面15.6米。大殿面闊八間，進深四間。麟德殿爲宮內宴會和會見來使等活動的宮殿，殿基南北長130米，東西長80米。大殿面闊十一間，進深十七間，由前、中、後三座毗連的殿閣組成。

唐大明宮含元殿遺址

位于陕西西安市龍首塬唐大明宮遺址內。

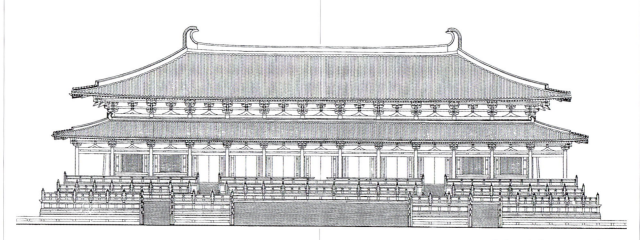

唐大明宮含元殿正面復原圖

唐大明宮麟德殿遺址
位于陝西西安市龍首塬唐大明宮遺址内。

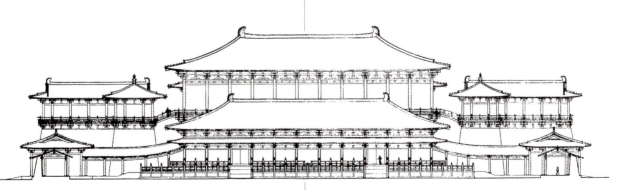

唐大明宮麟德殿正面復原圖

[典章建築]

唐大明宮麟德殿柱礎

[典章建築]

宮殿建築

唐大明宮麟德殿遺址出土石螭首

唐大明宮遺址出土花磚

[典章建築]

渤海國上京龍泉府宮殿遺址

位于黑龍江省寧安市渤海鎮。渤海國（公元698－926年）爲靺鞨族建立的唐朝藩屬政權，上京龍泉府爲其首府。宮城平面呈正方形，四面設門。宮城後部爲王宮，南北長720米，東西長620米。王宮内南北排列五重大殿，前兩殿爲朝會和典禮之處，規模很大，後三殿規模較小，應爲寢殿。第二宮殿規模最大，殿基東西長93.5米，南北長22.4米，大殿面闊十九間，進深四間。

渤海國上京龍泉府宮城第二宮殿遺址
位于黑龍江寧安市渤海鎮。

【 典章建築 】

元中都宮殿遺址

位于河北省張北縣饅頭營鄉白城子村西南。元中都建于大德十一年至至大四年（公元1307-1311年），毀于元末。宮城南北長620米，東西長560米。在宮城內已發現建築遺址二十七處，其中中心大殿基址南北長120米，東西寬38-59米，高出地面3.5米，爲"工"字形建築。

元中都宮城中心大殿遺址臺基

位于河北張北縣饅頭營鄉白城子村元中都宮殿遺址內。

元中都宮城中心大殿遺址踏道及漫地方磚

【 典章建築 】

宮殿建築

■ 南京明故宮

位于江蘇省南京市。平面呈方形，爲明洪武、建文、永樂三朝的皇宮，清咸豐時毁于戰火。現前朝三殿後廷三宮等都已無存，祇有午門等部分遺存。午門爲宮城正門，五券門洞，門上有重樓，今僅存柱礎。午門之後爲内五龍橋。

■ 南京明故宮午門

位于江蘇南京市明故宮南端。

14

[典章建築]

宮殿建築

南京明故宮午門五鳳樓柱礎

南京明故宮五龍橋
位于江蘇南京市明故宮內。

[典章建築]

宮殿建築

天安門

位于北京市。天安門是明、清兩代北京皇城的正門,始建于明永樂十五年（公元1417年）。城樓面闊九間,重檐歇山頂,開有五個門洞,門前有五座石橋跨過金水河,另有二對石頭獅子和一對石華表分列左右。

天安門正面

位于北京東城區。

【典章建築】

天安門前華表

【 典章建築 】

■ 紫禁城

位于北京市中心，是明清兩代的皇宮。始建于明永樂四年（公元1406年），完成于永樂十七年（公元1419年）。雖經明清兩代多次重修和改建，但總體布局無大變動。紫禁城南北長961米，東西長753米，占地72萬平方米。共有建築八千七百零四間，這些建築沿南北中軸綫左右對稱排列。

紫禁城分爲"外朝"和"内廷"兩部分。"外朝"部分主要由太和殿、中和殿和保和殿組成，兩側又有文華殿和武英殿，是皇帝舉行大典行使權力的主要場所。"内廷"部分主要由乾清宮、交泰殿、坤寧宮及東西若干組建築院落組成，是帝后居住的地方。内廷還有三座花園，以御花園爲最大。

【 典章建築 】

宮殿建築

紫禁城全景
位于北京東城區。

【 典章建築 】

紫禁城午門
位于北京東城區紫禁城南端。
午門是紫禁城的大門,初建于明永樂十八年(公元1420年),現存午門爲公元1647年重建。它是皇帝頒發詔書和戰爭後舉行"獻俘"儀式的地方。

【典章建築】

紫禁城午門背面

紫禁城午門與內金水河

【 典章建築 】

紫禁城太和門

位于北京東城區紫禁城内。

太和門是紫禁城外朝前三殿的大門,始建于明永樂十八年(公元1420年),現存大門爲清光緒十五年(公元1889年)重建,面闊九間,下有高大臺基,重檐歇山頂。兩側并列昭德門和貞度門。太和門是紫禁城宫殿建築群中最大的一座門。

【 典章建築 】

宮殿建築

[典章建築]

宮殿建築

紫禁城太和門彩畫

【典章建築】

宮殿建築

紫禁城太和門前銅獅

25

紫禁城外朝三大殿
位于北京東城區紫禁城内。
外朝三大殿爲太和殿、中和殿和保和殿。

【典章建築】

宮殿建築

【 典章建築 】

紫禁城太和殿

位于北京東城區紫禁城内。

太和殿是紫禁城外朝部分的第一大殿，是明清兩代皇帝舉行大典活動的場所。始建于明永樂十八年（公元1420年），建成後曾數次遭火災燒毀，現在的大殿爲公元1695年重建。大殿建于三層臺基之上，面闊十一間，長63.96米，進深五間，寬37.17米，殿身高26.9米。重檐廡殿頂。殿内有瀝粉金漆木柱和精緻的蟠龍藻井，富麗堂皇。

【 典章建築 】

宮殿建築

紫禁城太和殿臺基

【 典章建築 】

宮殿建築

紫禁城太和殿內景

【典章建築】

宮殿建築

紫禁城太和殿藻井

紫禁城太和殿正吻

【 典章建築 】

宮殿建築

紫禁城中和殿
位于北京東城區紫禁城内。
中和殿是皇帝到太和殿舉行重要典禮之前做準備的地方，有時也在這裏接受文武官員的跪拜行禮。殿爲正方形平面，面闊三間，周設加迴廊，四角攢尖鎏金寶頂。

【 典章建築 】

宮殿建築

紫禁城保和殿北面御路

[典章建築]

宮殿建築

【 典章建築 】

宮殿建築

紫禁城後宮內廷俯瞰

【 典章建築 】

紫禁城乾清門
位于北京東城區紫禁城内。
乾清門是紫禁城内廷部分的大門，始建于明永樂十八年（公元1420年），面闊五間，單檐歇山頂。

【典章建築】

宮殿建築

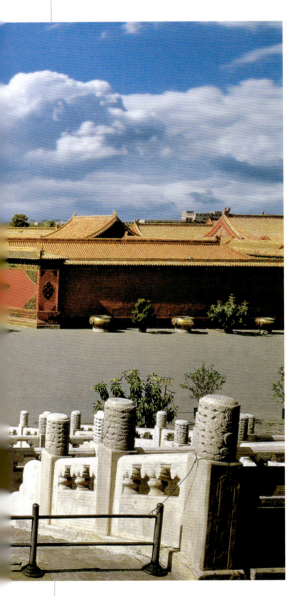

紫禁城乾清門前銅獅

[典章建築]

宮殿建築

紫禁城乾清門前金缸

紫禁城乾清門旁照壁

紫禁城乾清宮

位于北京東城區紫禁城内。

乾清宮是内廷後三宮的主要宮殿。明永樂十九年（公元1421年）建成，後經多次重建，現在的乾清宮爲公元1797年建造。此宮明代是皇帝的寢宮，清雍正皇帝將寢宮遷到養心殿後，此處成爲皇帝舉行内廷典禮活動的地方。乾清宮建于單層臺基上，面闊九間，重檐廡殿頂。

【 典章建築 】

宮殿建築

紫禁城乾清宮廊內彩畫

40

紫禁城乾清宫内景

【 典章建築 】

紫禁城交泰殿
位于北京東城區紫禁城內。
交泰殿始建于明嘉靖年間（公元1522－1566年），公元1797年重建。清代皇后于重要節日在交泰殿接受朝賀，所以這裏的門窗和彩畫中都出現龍紋和鳳紋并用的情況。

紫禁城交泰殿內景

【 典章建築 】

紫禁城交泰殿北面槅扇門

紫禁城坤寧宮
位于北京東城區紫禁城內。
坤寧宮在內廷的最後面。東暖閣爲清代皇帝大婚的洞房。

【 典章建築 】

宮殿建築

紫禁城皇極門
位于北京東城區紫禁城內。
皇極門是寧壽宮、皇極殿這一組宮殿建築的入口，建于清康熙二十七年（公元1688年）。九龍壁是其照壁。

紫禁城九龍壁

紫禁城寧壽門

位于北京東城區紫禁城皇極門的北面。是寧壽宮建築群的院門,建于清乾隆三十七年(1772年)。現存寧壽宮建築群是清高宗為退位後準備的太上皇宮殿,改建于清乾隆三十六年至四十一年(公元1771-1776年)。

【 典章建築 】

宮殿建築

紫禁城寧壽門兩旁照壁

紫禁城寧壽門彩畫

【 典章建築 】

紫禁城皇極殿
位于北京東城區紫禁城內。
皇極殿是寧壽宮建築群的前殿。

紫禁城皇極殿旁垂花門

【 典章建築 】

宮殿建築

紫禁城乾隆花園
位于北京東城區紫禁城寧壽宮西。
花園南北長160米，東西寬37米。園分五個部分，主要建築有古華軒、遂初堂、禊賞亭和符望閣等。

紫禁城乾隆花園禊賞亭

【典章建築】

宮殿建築

紫禁城乾隆花園禊賞亭一角

紫禁城乾隆花園禊賞亭流杯渠

【 典章建築 】

紫禁城乾隆花園古華軒

紫禁城乾隆花園假山

【典章建築】

宫殿建築

紫禁城乾隆花園聳秀亭

紫禁城乾隆花園倦勤齋

【 典章建築 】

宮殿建築

紫禁城乾隆花園倦勤齋檐廊

[典章建築]

紫禁城暢音閣戲樓

位于北京東城區紫禁城養性殿東。始建于清乾隆三十七年（公元1772年），公元1819年重修，是紫禁城中規模最大的戲臺。閣內有上中下三層，上層稱福臺，中層稱祿臺，下層稱壽臺，演大戲時三層各有表演。

【 典章建築 】

紫禁城內右門

位于北京東城區紫禁城內廷後三宮西。
紫禁城內有一條長街與西部的宮殿區相隔,名爲"西一長街",在這條街的南端爲內右門。

【典章建築】

| **紫禁城遵義門內照壁**
位于北京東城區紫禁城内。 | **紫禁城養心門**
位于北京東城區紫禁城内。 |

【 典章建築 】

紫禁城養心殿

位于北京東城區紫禁城内。
建于明嘉靖十六年（公元1537年）。自清雍正皇帝起，把養心殿作爲皇帝的寢宫和召見大臣處理日常政務的場所。

[典章建築]

紫禁城養心殿東暖閣

紫禁城養心殿東暖閣後間

【 典章建築 】

紫禁城儲秀宮內景
位于北京東城區紫禁城內。

紫禁城太極殿啓祥門
位于北京東城區紫禁城內。

【典章建築】

宮殿建築

紫禁城太極殿內景

紫禁城雨花閣
位于北京東城區紫禁城内。

[典章建築]

宮殿建築

紫禁城漱芳齋戲臺
位于北京東城區紫禁城御花園西。漱芳齋前有一戲臺，建于清乾隆年間，是供皇帝在新年期間受賀或宴請時看戲用的。

【典章建築】

宮殿建築

紫禁城漱芳齋戲臺藻井

紫禁城漱芳齋室內花罩

【 典章建築 】

宮殿建築

紫禁城御花園
位于北京東城區紫禁城坤寧宮北。是皇帝專用的宮中園林。園東西長130米，南北寬90米，面積約爲1.17萬平方米，分布着二十多座大小建築物。

紫禁城御花園銅香爐

【典章建築】

宮殿建築

紫禁城御花園千秋亭

紫禁城御花園澄瑞亭藻井

[典章建築]

宮殿建築

紫禁城御花園欽安殿

紫禁城御花園御景亭

[典章建築]

宮殿建築

紫禁城神武門

位于北京東城區紫禁城北端。

神武門是紫禁城的北門，建于明永樂十八年（公元1420年），清康熙時重修。坐落在高10餘米的城墻上，面闊五間，重檐廡殿頂。

【 典章建築 】

紫禁城角樓
位于北京東城區紫禁城內。

在紫禁城的四角，城墙上各建有一角樓，作瞭望和警衛用。角樓的平面呈曲尺形，即在方形平面四面出抱廈，屋頂爲三重檐，最上一層由一個攢尖頂和四面四個歇山頂組合而成，中央有一鍍金寶頂。中層屋頂是在四面的抱廈上作歇山，下層屋頂祇是中層歇山屋頂的腰檐。

【典章建築】

宮殿建築

紫禁城角樓仰視

[典章建築]

宫殿建築

【典章建築】

宮殿建築

自景山南望紫禁城

【 典章建築 】

■ 瀋陽故宮

　　位于遼寧省瀋陽市舊城中心，爲清初皇宮，入關後稱奉天行宮。始建于後金天命十年（公元1625年），建成于清崇德元年（公元1636年），乾隆時期增建。有房屋五百餘間，占地6萬多平方米。建築布局分爲東、中、西三路。東路建造于努爾哈赤時期，中路建造于皇太極時期，西路建造于乾隆時期。

瀋陽故宮大政殿與十王亭

位于遼寧瀋陽市瀋陽故宮內。

大政殿與十王亭是瀋陽故宮東路建築群，建于清太祖努爾哈赤時期。大政殿是瀋陽故宮最早建成的大殿，清入關前，汗王宣布軍隊出征、迎接將士凱旋、頒布大赦等重要典禮都在這裏舉行。十王亭呈八字形排列在大政殿前，左右各有五座亭，兩座翼王亭在最北，其餘八亭依八旗之序排列，是努爾哈赤與八旗諸王共謀國事的地方。

【 典章建築 】

宮殿建築

瀋陽故宮大政殿

[典章建築]

瀋陽故宮大政殿盤龍柱

瀋陽故宮大政殿室內藻井

[典章建築]

瀋陽故宮崇政殿

位于遼寧瀋陽市瀋陽故宮中路的前院。它和大清門、鳳凰樓、清寧宮等建築是清太宗皇太極時期建成的，組成了一組前殿後宮的建築群。崇政殿是皇太極日常臨朝處理政務的地方。

瀋陽故宮崇政殿側面

【典章建築】

宮殿建築

瀋陽故宮崇政殿內景

【 典章建築 】

宮殿建築

瀋陽故宮鳳凰樓
位于遼寧瀋陽市瀋陽故宮崇政殿後面。是後宮的門樓。樓建于4米高的臺座上，樓高三層，重檐三滴水式建築，歇山屋頂。

【 典章建築 】

宮殿建築

瀋陽故宮清寧宮
位于遼寧瀋陽市瀋陽故宮内。爲皇帝的寢宮。瀋陽故宮的後宮均建在高臺上，與中原宮殿以前朝爲最高建築物的格局不同，反映了女真人的生活習慣。

【 典章建築 】

宮殿建築

瀋陽故宮文溯閣
位于遼寧瀋陽市瀋陽故宮內。
文溯閣是清乾隆時期爲貯藏《四庫全書》而興建的皇家書庫，和戲臺、嘉蔭堂等建築組成瀋陽故宮西路。

【典章建築】

宮殿建築

瀋陽故宮嘉蔭堂戲臺

瀋陽故宮西路便門

【 典章建築 】

苑囿行宮建築

秦碣石宮

位于遼寧省綏中縣萬家鎮,爲秦代的行宮。始建于秦始皇時期(公元前221–前210年),漢武帝時期(公元前140–前87年)部分重建。遺址占地15萬平方米,平面呈曲尺形,内部以連續的圍墙分成十個小區,區内建築呈軸綫對稱,建築間以廊道相連。遺址對面海中的大礁石,據考證就是著名的碣石。

秦碣石宮遺址全景
位于遼寧綏中縣萬家鎮。

[典章建築]

苑囿行宫建築

秦碣石宮遺址宮殿前踏步

秦碣石宮遺址沐浴設施

[典章建築]

苑囿行宮建築

秦碣石宮遺址門口附近倒塌的板瓦及瓦當

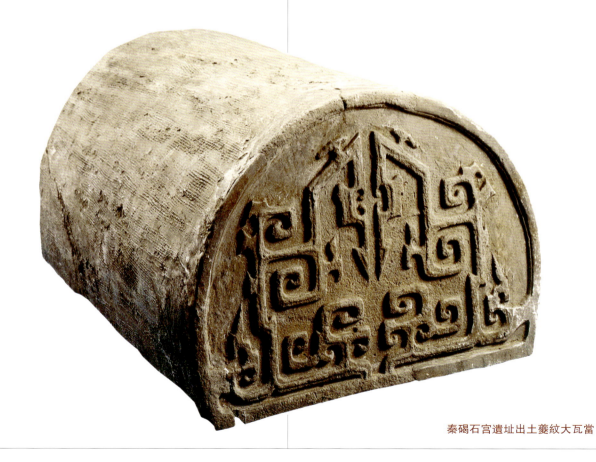

秦碣石宮遺址出土夔紋大瓦當

【 典章建築 】

西漢南越王宮署御苑

位于廣東省廣州市越秀區中心城隍廟前，爲西漢時期南越王的宮署苑囿。已發掘其中的石構水池和石構曲渠遺址。遺址面積約4000平方米，用不規則的石板鋪砌，池底用河卵石和碎石平鋪。曲渠遺迹長150米，渠中有彎月形水池，渠端有石板平橋。渠壁用石塊砌成，渠底鋪石板，石板上置河卵石。石渠盡頭連接迴廊，廊已毀。

西漢南越王宮署御苑遺址石板平橋和步石

位于廣東廣州市越秀區西漢南越王宮署御苑遺址内。

【 典章建築 】

西漢南越王宮署御苑遺址石渠
位于廣東廣州市越秀區西漢南越王宮署御苑遺址內。

西漢南越王宮署御苑遺址彎月形石池
位于廣東廣州市越秀區西漢南越王宮署御苑遺址內。

隋仁壽宮（唐九成宮）

位于陝西省麟游縣，是隋唐時期皇帝的避暑行宮。隋仁壽宮始建于隋開皇十三年（公元593年），唐貞觀五年（公元631年）擴建，更名九成宮，永徽二年（公元651年）改名萬年宮，後又復名九成宮，唐末毀于洪水。行宮宮牆東西長1010米，南北長300米，主殿殘存殿基東西長69米，南北長58米。殿堂保存較好的是37號殿址，殿基長方形，東西長42.62米，南北長31.72米，面闊九間，進深六間，平面爲金箱斗底槽。

隋仁壽宮（唐九成宮）37號殿址全景

位于陝西麟游縣隋仁壽宮（唐九成宮）遺址内。

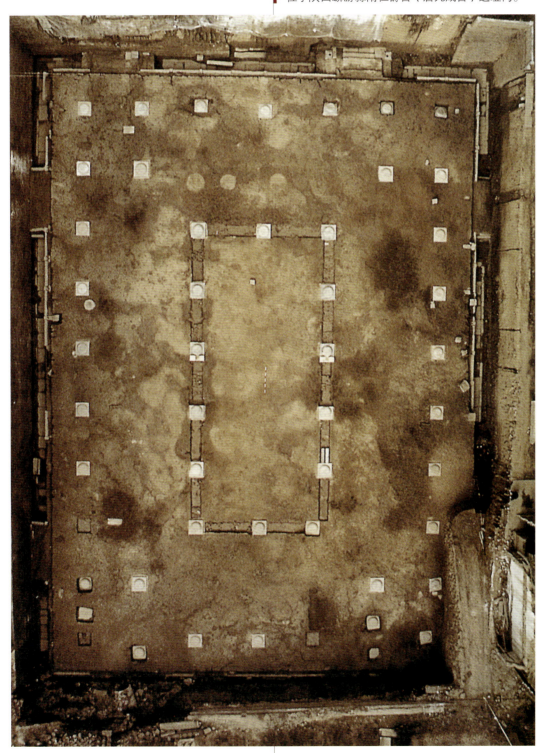

【 典章建築 】

苑囿行宮建築

隋仁壽宮（唐九成宮）37號殿址內殿

隋仁壽宮（唐九成宮）37號殿址踏步

唐華清宮

位于陝西省西安市臨潼區驪山北麓。唐貞觀十八年（公元644年）在此建湯泉宮，後易名溫泉宮，天寶六年（公元747年）改稱華清宮，唐末毀于戰亂。華清宮爲唐皇室的離宮，由會昌城、華清宮和驪山禁苑三者組成。會昌城是離宮的居民區、手工業區和由京城來此的百官府第。華清宮分東、中、西三區，東區爲皇帝居住沐浴之所。

唐華清宮蓮花湯遺址

位于陝西西安市臨潼區唐華清宮遺址內。

【 典章建築 】

唐華清宮海棠池遺址
位于陝西西安市臨潼區唐華清宮遺址內。

唐華清宮梨園和小湯遺址
位于陝西西安市臨潼區唐華清宮遺址內。

[典章建築]

頤和園

位于北京市海淀區,是清代皇家園林。始建于清乾隆十五年(公元1750年),先後遭英法聯軍、八國聯軍的毀壞,于1888年和1902年兩度重修。全園總面積290公頃,其中水面占四分之三。各種園林建築共三千餘間,建築面積近7萬平方米。全園可分爲朝政區、生活區、景觀區三部分。朝政區以仁壽殿爲中心;生活區主要由玉瀾堂、宜雲館、樂壽堂三組院落組成;景觀區爲全園之精華,以佛香閣爲中心,由前山、後山和昆明湖三部分組成。

頤和園佛香閣

位于北京海淀區頤和園萬壽山上。平面八角形,三層四重檐,高41米,立于半山之高臺上,臺高20米。閣内供奉佛像。

苑囿行宮建築

89

【 典章建築 】

苑囿行宮建築

頤和園衆香界和智慧海
位于北京海澱區頤和園萬壽山上。
衆香界爲一座磚築琉璃牌樓；智慧海爲一座兩層琉璃無梁殿，殿内供奉觀音菩薩像。

頤和園長廊

位于北京海淀區頤和園内。萬壽山山麓和昆明湖之間，全長728米，爲中國園林中最長的游廊。每間梁枋上繪有蘇式彩畫，共四千餘幅。

[典章建築]

苑囿行宮建築

【 典章建築 】

苑囿行宮建築

頤和園長廊

【 典章建築 】

苑囿行宮建築

頤和園德和園大戲樓

位于北京海淀區頤和園德和園內。建于清光緒十七年（公元1891年）。翹角重檐三層，高21米，底層舞臺寬17米。三層舞臺之間均有天地井通連。

頤和園須彌靈境
位于北京海淀區頤和園後山中部。
爲一組漢、藏混合式佛教建築，共有建築二十餘座。

【 典章建築 】

苑囿行宮建築

頤和園諧趣園
位于北京海淀區頤和園東北角。清乾隆十六年（公元1751年）仿照無錫寄暢園而建。園以水池爲中心，四周環以樓臺亭榭，并以游廊相連。

【 典章建築 】

苑囿行宮建築

頤和園諧趣園西宮門

頤和園諧趣園尋訪經石碑

[典章建築]

苑囿行宫建築

頤和園畫中游

位于北京海淀區頤和園萬壽山西部。依山而築，中間爲八角兩層樓閣，東西配置兩亭兩樓，西樓名"愛山"，東樓名"借秋"，用爬山廊相通。

【 典章建築 】

苑囿行宮建築

頤和園廓如亭
位于北京海淀區頤和園內。

頤和園薈亭
位于北京海淀區頤和園內。

【 典章建築 】

苑囿行宮建築

頤和園清晏舫

位于北京海淀區頤和園内。原名石舫，是園中著名的水上建築。建于清乾隆二十年（公元1755年）。體長36米，用石塊雕砌而成。舫上原有木製中式倉樓，後被英法聯軍燒毀。光緒十九年（公元1893年）重建西式倉樓。

【 典章建築 】

苑囿行宮建築

【 典章建築 】

頤和園十七孔橋
位於北京海淀區頤和園昆明湖上。
十七孔橋連接東堤和南湖島。建于清乾隆年間，橋長150米，寬8米，由十七個券孔組成，是園中最大的石橋。

【典章建築】

苑囿行宮建築

【 典章建築 】

苑囿行宮建築

頤和園玉帶橋
位于北京海淀區頤和園內。

頤和園後湖
位于北京海淀區頤和園內。

北海

位于北京故宫和景山之西，爲遼、金、元、明、清五代帝王的宫苑。全園面積爲70萬平方米，其中水面面積爲39萬平方米。建築布局以白塔爲中心，組成以瓊華島爲主體的四面景觀。

北海堆雲牌坊

位于北京西城區北海南門。

苑囿行宫建築

【 典章建築 】

北海白塔

位于北京西城區北海瓊華島山頂。建于清順治八年（公元1651年），高35.9米，爲一喇嘛塔。

【 典章建築 】

苑囿行宮建築

【 典章建築 】

苑囿行宮建築

北海五龍亭
位于北京西城區北海内。
中亭爲"龍澤亭",左右對稱各兩座亭,分别爲"澄祥"、"滋香"、"涌瑞"和"浮翠"。

北海静心齋
位于北京西城區北海内。
原名鏡清齋,爲一精美的園中之園。爲清朝皇太子來游北海時的住所。圖爲園内假山與爬山游廊。

【 典章建築 】

苑囿行宮建築

北海濠濮間

位于北京西城區北海内。

建于清乾隆二十二年（公元1757年）。爲北海著名園中之園之一。

北海觀音殿

位于北京西城區北海小西天。

重檐正方形四角攢尖式，每面邊長35.3米，總高26.9米。

109

【 典章建築 】

苑囿行宮建築

北海九龍壁
位于北京西城區北海天王殿西。
壁高6.9米，長25.52米，厚1.42米。
原爲一組建築的照壁。

[典章建築]

苑囿行宮建築

【 典章建築 】

苑囿行宫建築

團城

位于北海南門外西側,與瓊華島隔水相望。原是太液池中的一個小嶼,明代在其上築城,并建承光殿。城高5米,面積4500平方米。現存主殿承光殿爲清康熙年間改建,爲重檐歇山頂方形大殿,四面各出單檐捲棚頂抱廈。

團城承光殿

位于北京西城區團城内。
重檐歇山頂,面闊、進深均爲三間。殿内供奉白玉佛一尊。

[典章建築]

苑囿行宮建築

中南海

中南海爲中海和南海的合稱。南海與中海以蜈蚣橋爲界。中海開闢于金元時期，南海建于明初。

中南海瀛臺

位于北京西城區中南海内。

瀛臺三面臨水，主要建築由北至南有翔鸞閣、涵元門、涵元殿、蓬萊閣、香扆殿等。圖爲涵元殿西側綺思樓。

113

【 典章建築 】

中南海流水音
位于北京西城區中南海内。
亭内石砌地面上鑿刻有九曲水槽,上懸"流水音"匾額。

中南海静谷
位于北京西城區中南海内。
是中南海著名的園中之園之一。

【 典章建築 】

苑囿行宮建築

中南海春藕齋
位于北京西城區中南海内。

中南海牣魚亭
位于北京西城區中南海内。

[典章建築]

苑囿行宮建築

避暑山莊

位于河北省承德市北部。原名熱河行宮，始建于清康熙四十二年（公元1703年），竣工于乾隆五十五年（公元1790年），是清朝皇帝夏秋兩季處理朝政的行宮。山莊内可分爲宮殿區和景苑區。宮殿區在南部，是皇帝處理朝政和居住之所；景苑區可分爲湖區、平原區和山區，湖區建築多仿江南名勝，平原區是行獵和野宴之處，山區原建有亭閣，現多已不存。

避暑山莊園區

位于河北承德市。

【 典章建築 】

苑囿行宮建築

避暑山莊澹泊敬誠殿

位于河北承德市避暑山莊内。

避暑山莊的正殿，清帝在此處理政務和接見朝臣。因整個大殿的木構件全部使用燙蠟楠木，所以又稱楠木殿。殿面闊九間，捲棚懸山屋頂，罩清油，無彩繪。

【 典章建築 】

苑囿行宫建築

避暑山莊烟波致爽殿内景
位于河北承德市避暑山莊内。

[典章建築]

苑囿行宫建築

避暑山莊金山
位于河北承德市避暑山莊澄湖東側。爲仿江蘇鎮江金山寺而建的一組建築。

【 典章建築 】

苑囿行宮建築

避暑山莊烟雨樓
位于河北承德市避暑山莊如意洲之北的青蓮島上。乾隆年間仿嘉興烟雨樓而建，主體建築爲一座面闊五間的兩層樓閣。

【 典章建築 】

避暑山莊水心榭
位于河北承德市避暑山莊內。

避暑山莊水流雲在
位于河北承德市避暑山莊內。

【 典章建築 】

苑囿行宮建築

避暑山莊環碧
位于河北承德市避暑山莊内。

避暑山莊文津閣
位于河北承德市避暑山莊内。
清乾隆三十九年（公元1774年），仿寧波天一閣而建。閣爲外觀二層内爲三層的磚木結構，貯藏《四庫全書》和《古今圖書集成》。

[典章建築]

苑囿行宮建築

圓明園

圓明園位于北京市海淀區東北，是清代皇帝的離宮。始建于清康熙年間，雍正和乾隆兩朝大規模擴建。圓明園由圓明園、長春園和綺春園三園組成，合稱"圓明三園"。東西長3公里，南北長2公里，總面積350公頃。圓明園是三園的主要部分，可分爲宮廷區、九州景區和福海景區等五個景區。長春園最著名的景區爲"西洋樓"，由意大利畫師郎世寧、法國傳教士蔣友仁和王致誠等設計監修，是中國皇家宮苑中第一次大規模仿建西洋建築和園林噴泉。1860年英法聯軍和1900年八國聯軍放火燒毁了圓明園。

圓明園大水法

位于北京海淀區圓明園內。
大水法由噴水池、壁龕式屏風和一對水塔組成，是西洋城景區最宏麗的建築。

[典章建築]

苑囿行宮建築

圓明園大水法圖

圓明園遠瀛觀圖

【 典章建築 】

苑囿行宮建築

圓明園遠瀛觀

位于北京海淀區圓明園內。
建成于清乾隆四十八年（公元1783年）。建于方形石臺上，面闊五間。

[典章建築]

苑囿行宮建築

1870年前後所攝圓明園遠瀛觀遺址

1920年所攝圓明園遠瀛觀遺址

[典章建築]

苑囿行宫建築

圓明園方外觀
位于北京海淀區圓明園內。
建于清乾隆二十五年（公元1760年），由法國人參加設計。方外觀是一座清真寺，曾是容妃作禮拜的地方。

圓明園諧奇趣
位于北京海淀區圓明園內。
建于清乾隆十二年（公元1747年），是演奏蒙、回等少數民族音樂和西洋音樂的場所。圖爲公元1870年前後所攝。

[典章建築]

苑囿行宮建築

1870年前後所攝圓明園諧奇趣遺址

圓明園諧奇趣北面圖

【典章建築】

圓明園萬花陣花園

位于北京海淀區圓明園內。園中有一個長90米，寬60米的迷宮，迷宮由磚砌矮牆組成。圖為公元1870年前後所攝。

圓明園萬花陣花園圖

【典章建築】

静明園

静明園位于北京市海淀區玉泉山小東門外。爲遼代玉泉山行宮和金代芙蓉殿行宮舊址。清康熙十九年（公元1680年）將玉泉山闢爲行宮，名"澄心園"，康熙三十一年（公元1692年）改名爲"静明園"。1860年被英法聯軍燒毀。

静明園玉峰塔

位于北京海淀區玉泉山静明園内。八角形樓閣式磚塔，共七層。

静明園湖山罨畫坊

位于北京海淀區玉泉山静明園内。

[典章建築]

苑囿行宮建築

静宜園

位于北京市海淀區香山東麓。金、元、明、清歷代帝王均在此營建離宮，爲皇家游幸駐蹕之所。清康熙年間于此大規模修建，闢爲行宮。乾隆十年（公元1745年）再次大興土木，建成二十八景，名"静宜園"。1860年和1900年先後被英法聯軍和八國聯軍破壞。

静宜園琉璃塔

位于北京海淀區香山静宜園内。八角密檐式實心塔，共七層。

静宜園見心齋

位于北京海淀區香山静宜園内。始建于明嘉靖元年（公元1522年），清嘉慶元年（公元1796年）重修。

131

【 典章建築 】

苑囿行宮建築

静宜園昭廟
位于北京海淀區香山静宜園見心齋南側。

静宜園西山晴雪碑
位于北京海淀區香山静宜園内。

古蓮花池

位于河北省保定市。元太祖二十二年（公元1227年）汝南王在此興建園苑，名"雪香園"，因池中荷花繁茂，故又稱"蓮花池"，後因地震而毀。明萬曆年間曾大規模擴建，稱"水鑒公署"。清雍正十一年（公元1733年）在池西北建蓮池書院，後闢爲行宮，乾隆、嘉慶、慈禧巡幸河北，均在此駐蹕。總面積2.4萬平方米，池水占總面積的三分之一。

古蓮花池臨漪亭

位于河北保定市古蓮花池內。爲古蓮花池中心建築。

[典章建築]

苑囿行宮建築

古蓮花池古蓮池坊
位于河北保定市古蓮花池内。

古蓮花池高芬軒
位于河北保定市古蓮花池内。

【 典章建築 】

羅布林卡

位于西藏自治區拉薩市西郊。羅布林卡，藏語意爲"寶貝園"，始建于18世紀40年代達賴七世時，後成爲歷代達賴喇嘛的夏宮。全園360萬平方米，分爲宮區、宮前區和林區三部分。

羅布林卡金色頗章

位于西藏拉薩市羅布林卡內。

苑囿行宮建築

[典章建築]

苑囿行宮建築

羅布林卡措吉頗章
位于西藏拉薩市羅布林卡内。

羅布林卡新宮
位于西藏拉薩市羅布林卡内。

136

[典章建築]

壇廟建築

隋唐圜丘遺址

位于陝西省西安市陝西師範大學内，是隋唐時期皇帝舉行祭天禮儀的建築。始建于隋，唐代屢有增修。唐代圜丘爲四層圓臺，最下層直徑52.8米，第二層直徑40.5米，第三層直徑28.4米，頂層直徑20.2米。每層高2米左右。各層均有十二階道，象徵十二辰，其中午陛（即南階道）最寬，是皇帝登壇用階。圜丘爲素土夯築而成，没有發現磚石包砌痕迹，外表通體抹白灰。

隋唐圜丘遺址

位于陝西西安市陝西師範大學内。

137

【 典章建築 】

壇廟建築

▌天壇

位于北京市崇文區，是明、清皇帝祭天祈穀之所。創建于明永樂十八年（公元1420年），名天地壇。明嘉靖九年（公元1530年）因立四郊分祀之制，故改稱天壇。清乾隆時大規模修繕和擴建。總面積273萬平方米，以兩重壇牆把全壇分爲內壇和外壇，壇牆北圓南方，象徵天圓地方。主要建築集中于內壇，內壇南部爲祭天的圜丘壇，北部爲祈穀的祈穀壇。

天壇祈年殿

位于北京崇文區天壇北部祈穀壇上。始建于明永樂十八年（公元1420年），現存建築爲清光緒二十二年（公元1896年）所建。是封建帝王祈禱五穀豐登之所。殿高32米，平面呈圓形，建于三層圓形白石壇基之上，殿身外檐裝飾由朱紅色柱及槅扇構成。三重檐圓攢尖頂逐層向上收縮，頂覆三層青色琉璃瓦。

【 典章建築 】

壇廟建築

天壇祈年殿內景

[典章建築]

壇廟建築

天壇祈年殿藻井

[典章建築]

壇廟建築

天壇祈年殿槅扇窗

天壇皇乾殿

位于北京崇文區天壇祈穀壇祈年殿北。
是祈穀壇奉祀神位的供奉之處。

天壇皇穹宇

位于北京崇文區天壇圜丘壇北。
始建于明嘉靖九年（公元1530年），初名泰神殿，嘉靖十七年易爲今名，爲放置圜丘祭祀神牌之處。殿高19.5米，直徑約15.6米。

天壇皇穹宇券門

【 典章建築 】

壇廟建築

天壇皇穹宇

天壇圜丘壇

位于北京崇文區天壇內。

建成于明嘉靖九年（公元1530年），清乾隆十四年（公元1749年）大加擴建，是封建帝王冬至日祭天之所。外觀爲圓形，由三層漢白玉石臺基構成，頂面直徑約26米，每層壇面磚的圈數、塊數及欄牙板、望柱、臺階數皆爲九的倍數，象徵天之至尊。壇外設壝墻兩重，內壝圓形，外壝方形。

天壇圜丘壇欞星門

[典章建築]

壇廟建築

146

【 典章建築 】

壇廟建築

天壇圜丘壇

147

[典章建築]

壇廟建築

天壇齋宮

位于北京崇文區天壇内。

始建于明永樂十八年（公元1420年），後經多次重修，但形式未曾大變。齋宮平面呈正方形，東、南、北三面各有門、橋與宫内相通。

天壇齋宮入口

大壇齋宮正殿

[典章建築]

壇廟建築

地壇

位于北京市東城區安定門外。地壇又名方澤壇，建于明嘉靖九年（公元1530年），爲每年夏至日祭祀地。

地壇牌坊

位于北京東城區安定門外地壇西門。爲一座三門四柱七樓的牌坊。

地壇齋宮

位于北京東城區安定門外地壇內。皇帝祭地時齋宿之所。始建于明嘉靖九年（公元1530年），清雍正八年（公元1730年）重修。

149

【 典章建築 】

壇廟建築

地壇方澤壇
位于北京東城區安定門外地壇內。
地壇核心建築爲方澤壇。兩層，其形制、大小的數字皆與六有關。方壇四周設水池環繞，再外有兩重方形圍牆包圍，內矮外高，層次分明。

地壇皇祇室
位于北京東城區安定門外地壇內。
是地壇主要建築之一。明、清兩代供奉皇地祇之所。

【 典章建築 】

日壇

位于北京市朝陽區朝陽門外。是明清兩代每年春分日祭祀大明之神（太陽）的場所。壇臺爲正方形，僅一層。明代臺面爲紅色琉璃瓦，象徵太陽的顔色，清代改爲方磚鋪地，四面設九級臺階。壇臺周圍有一圓形壝墻。

日壇祭壇

位于北京朝陽區朝陽門外日壇内。

日壇欞星門

【 典章建築 】

壇廟建築

■ 月壇

位于北京市西城區阜成門外，爲明清兩代每年秋分日祭祀夜明之神（月亮）的場所。始建于明嘉靖九年（公元1530年）。壇東向，一層方臺。

月壇具服殿

位于北京西城區阜成門外月壇內。是明、清帝王祭月休息更衣的場所。

【典章建築】

社稷壇

位于北京市西城區紫禁城西側。建于明永樂十九年（公元1421年），是明清皇帝祭祀土地和五穀之神的場所。壇上鋪五色土，分別代表五行以及全國五方疆土，象徵"普天之下，莫非王土"之意。

社稷壇五色土和拜殿

位于北京西城區紫禁城西側社稷壇內。

【 典章建築 】

壇廟建築

社稷壇享殿
位于北京西城區紫禁城西側社稷壇內。又稱拜殿。是明、清帝王祭祀時休息或遇雨時行祭的場所。

先農壇
位于北京市宣武區永定門內大街。始建于明嘉靖年間，清乾隆年間重修。壇內包括祭祀農神的先農壇和祭祀太歲的太歲殿。

先農壇觀耕臺
位于北京宣武區永定門內大街先農壇太歲殿東南。臺周飾黃琉璃瓦并繞以漢白玉石欄。

[典章建築]

先農壇太歲殿

位于北京宣武區永定門內大街先農壇內壇北門西南側。面闊七間，進深三間，單檐歇山式。

先蠶壇

位于北京市西城區北海東岸。是清代后妃祭祀蠶神的場所。

先蠶壇繭館

位于北京西城區北海東岸先蠶壇內。面闊五間，進深三間，單檐歇山式。

壇廟建築

【典章建築】

壇廟建築

岱廟

位于山東省泰安市泰山南麓，爲歷代帝王封禪泰山、舉行大典之所。始建于秦漢，以後歷代均有增修。以主殿天貺殿爲中軸，建築對稱分布。

岱廟岱廟坊

位于山東泰安市泰山岱廟正陽門前。坊石質，通體浮雕。

[典章建築]

壇廟建築

岱廟御碑亭
位于山東泰安市泰山岱廟內。

岱廟銅亭
位于山東泰安市泰山岱廟內。

【 典章建築 】

壇廟建築

岱廟天貺殿

位于山東泰安市泰山岱廟内。

爲岱廟主殿，始建于北宋大中祥符二年（公元1009年）。天貺殿大殿面闊九間48.7米，進深五間19.79米，以朱柱劃分空間。重檐廡殿頂，覆黄色琉璃瓦。殿内供奉東岳泰山之神，東、北、西三面墻壁繪巨幅《泰山神啓蹕回鑾圖》。

【 典章建築 】

壇廟建築

[典章建築]

壇廟建築

岱廟天貺殿內景

[典章建築]

壇廟建築

岱廟角樓
位于山東泰安市泰山岱廟內。

[典章建築]

壇廟建築

■ **曲陽北岳廟**
　　位于河北省曲陽縣城內，從北魏至清順治初年歷代帝王祭祀北岳真君的場所。原來規模宏大，南北長300餘米。清順治十七年（公元1660年）以後，祭祀北岳的地點改在山西省渾源縣，此廟遂廢。

[典章建築]

曲陽北岳廟德寧殿
位于河北曲陽縣北岳廟內。

建于元至元七年（公元1270年），爲北岳廟主殿，是現存最大的元代木結構建築。殿身面闊七間，進深四間，重檐廡殿頂，綠琉璃瓦剪邊屋面，臺基高2.5米。

【 典章建築 】

壇廟建築

曲陽北岳廟御香亭
位于河北曲陽縣北岳廟内。
亭平面八角三滴水攢尖頂，布瓦花脊，内外檐各用柱八根，頂中心懸垂柱一根，四正面設門。

[典章建築]

壇廟建築

南岳廟
位于湖南省衡陽市衡山脚下。始建于唐,由宋至清歷代均有修繕與擴建。現正殿爲清光緒八年(公元1882年)重建,高22米,面闊九間,有石柱七十二根,象徵南岳七十二峰。

南岳廟正殿
位于湖南衡陽市衡山南岳廟内。

【 典章建築 】

壇廟建築

南岳廟御碑亭
位于湖南衡陽市衡山南岳廟內。

南岳廟奎星閣
位于湖南衡陽市衡山南岳廟內。

【 典章建築 】

壇廟建築

中岳廟

位于河南省登封市嵩山太室山之南黄蓋峰之下，爲祭祀中岳山神的祠廟。始建于秦，唐宋時期曾盛極一時，現存建築爲明清兩代重修而成。占地約10萬平方米，是五岳中現存規模最大的古建築群。

中岳廟天中閣

位于河南登封市嵩山中岳廟内。
爲中岳廟南大門，是闢有三個門洞的高臺樓閣。樓閣面闊五間，進深一間，重檐歇山式。

167

【 典章建築 】

壇廟建築

中岳廟遥參亭
位于河南登封市嵩山中岳廟内。

中岳廟嵩高峻極坊
位于河南登封市嵩山中岳廟内。

[典章建築]

壇廟建築

中岳廟中岳大殿

位于河南登封市嵩山中岳廟內。

中岳大殿又名峻極殿，是中岳廟的主體建築。面闊九間，進深五間，重檐廡殿頂，覆黃琉璃瓦。殿前臺基高逾2米，臺前出三階，并以漢白玉石欄杆環繞。

【 典章建築 】

壇廟建築

西岳廟
位于陝西省華陰市城東,是祭祀西岳華山山神的祠廟。始建于西漢,以後歷代均有修繕和擴建,現存建築基本爲明清時期所建。

西岳廟石牌坊
位于陝西華陰市西岳廟內。

【 典章建築 】

壇廟建築

西岳廟灝靈殿
位于陕西華陰市西岳廟内。

西岳廟五鳳樓
位于陕西華陰市西岳廟内。

【 典章建築 】

壇廟建築

北鎮廟

位于遼寧省北鎮市城西醫巫閭山脚下，是醫巫閭山的山神廟，也是中國五大鎮山中唯一保存完整的鎮山廟。始建于金代，元、明、清皆有重修，現存建築爲明清時期所建。

北鎮廟御香殿

位于遼寧北鎮市醫巫閭山北鎮廟内。是陳放朝廷御書和皇家祭祀用香蠟供品的地方。

【 典章建築 】

壇廟建築

【 典章建築 】

壇廟建築

北鎮廟石牌坊與山門
位于遼寧北鎮市醫巫閭山北鎮廟內。

北鎮廟神馬門及鐘鼓樓
位于遼寧北鎮市醫巫閭山北鎮廟內。

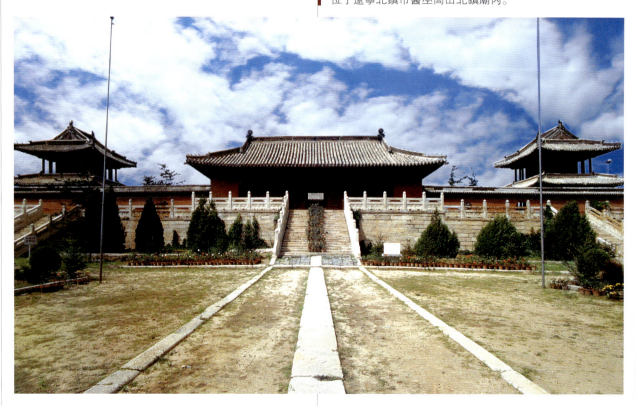

[典章建築]

壇廟建築

海寧海神廟
　　位于浙江省海寧市鹽官鎮，是祭祠"浙海之神"的場所。建于清雍正時期，後屢毀屢建。

海寧海神廟大殿
位于浙江海寧市鹽官鎮海神廟內。

【典章建築】

■ 濟瀆廟

位于河南省濟源市西北廟街村,是祭祀濟瀆水神的祠廟。始建于隋,以後歷代皆有修建,現存北宋、元、明、清各時代建築二十三座,重要者有北宋的寢宮、元代的臨淵門和明代的清源洞府門。

■ 濟瀆廟清源洞府門
位于河南濟源市廟街村濟瀆廟內。

■ 濟瀆廟臨淵門
位于河南濟源市廟街村濟瀆廟內。

[典章建築]

壇廟建築

濟瀆廟寢宮
位于河南濟源市廟街村濟瀆廟内。

濟瀆廟龍池
位于河南濟源市廟街村濟瀆廟内。

【 典章建築 】

壇廟建築

宿遷龍王廟

位于江蘇省宿遷市皂河鎮。始建于清康熙時期，雍正和嘉慶年間重修。

宿遷龍王廟全景

位于江蘇宿遷市皂河鎮。

宣仁廟

位于北京市東城區北池子大街。始建于清雍正時期，是祭祀風神的祠廟。

宣仁廟大殿與後殿

位于北京東城區北池子大街宣仁廟内。

歷代帝王廟

位于北京市西城區。創建于明嘉靖九年（公元1530）年，清雍正七年（公元1729年）重修，是明清兩代祭祀歷代帝王和功臣的地方。

歷代帝王廟廟門

位于北京西城區歷代帝王廟。

歷代帝王廟景德門

位于北京西城區歷代帝王廟内。

【 典章建築 】

壇廟建築

歷代帝王廟景德崇聖殿
位于北京西城區歷代帝王廟內。
景德崇聖殿爲歷代帝王廟主殿，面闊九間，綠筒瓦重檐廡殿頂，殿前有漢白玉欄杆。

[典章建築]

壇廟建築

太廟
　　位于北京市東城區紫禁城東側，是明清兩代皇室祭祀祖先的場所。始建于明永樂十八年（公元1420年），明嘉靖、萬曆和清順治、乾隆時期曾加以修繕和擴建。

太廟琉璃頂磚門
位于北京東城區紫禁城東側太廟内。

181

【 典章建築 】

壇廟建築

太廟戟門
位于北京東城區紫禁城東側太廟內。

太廟井亭
位于北京東城區紫禁城東側太廟內。

【 典章建築 】

壇廟建築

太廟正殿
位于北京東城區紫禁城東側太廟內。

太廟寢宮
位于北京東城區紫禁城東側太廟內。

【 典章建築 】

壇廟建築

景山壽皇殿
位于北京市西城區景山內，是清代供奉皇室祖先聖容繪像的場所。

景山壽皇殿
位于北京西城區景山內。

[典章建築]

壇廟建築

孔廟

位于山東省曲阜市城内，是歷代舉行祭孔大典的場所。孔子逝後，魯哀公將其三間故居改建爲廟，自東漢起由政府直接管理。歷代帝王不斷對孔廟進行重修和擴建，現存建築主要爲明清時期所建。全廟前後共九進院落，建築四百六十六間。

孔廟全景
位于山東曲阜市。

[典章建築]

壇廟建築

孔廟萬仞宮牆
位于山東曲阜市孔廟內。

孔廟金聲玉振坊
位于山東曲阜市孔廟內。

[典章建築]

壇廟建築

孔廟德侔天地坊
位于山東曲阜市孔廟內。

孔廟聖時門
位于山東曲阜市孔廟內。

[典章建築]

壇廟建築

孔廟奎文閣
位于山東曲阜市孔廟内。
始建于北宋初期，金明昌二年至六年(公元1191年 –1195年)重建，欽定名爲"奎文閣"。明弘治十七年（公元1504年）重建。現存建築面闊七間，進深五間，爲孔廟藏書樓。

[典章建築]

壇廟建築

孔廟杏壇
位于山東曲阜市孔廟大成門與大成殿之間甬道正中。原爲舊孔廟正殿殿基，北宋乾興元年（公元1022年）孔廟北移擴建，此堂改制爲壇，環植以杏，名曰杏壇。金明昌年間于壇上建亭，明隆慶三年（公元1569年）改建。

[典章建築]

壇廟建築

孔廟大成殿

位于山東曲阜市孔廟内。

大成殿爲孔廟正殿,唐代稱"文宣王殿",宋徽宗崇寧年間改稱今名。現存建築爲清雍正八年(公元1730年)建成。面闊九間,重檐廡殿頂,前有露臺,中陛及左右各十二級,黃琉璃瓦蓋頂。殿長24.8米,進深45.6米,高24.6米。殿内正中設孔子塑像及神位,兩側是"四配"和"十二哲"塑像。

【 典章建築 】

壇廟建築

191

【 典章建築 】

壇廟建築

孔廟大成殿天花藻井與匾額

【典章建築】

壇廟建築

孔廟寢殿內天花

193

【 典章建築 】

壇廟建築

孔廟金代碑亭
位于山東曲阜市孔廟內。

孔廟元代碑亭
位于山東曲阜市孔廟内。

北京孔廟

位于北京市東城區成賢街,是元、明、清三代祭祀孔子的場所。始建于元大德六年(公元1302年),明清時期多次重修和擴建。

北京孔廟先師門
位于北京東城區成賢街孔廟内。

北京孔廟進士題名碑
位于北京東城區成賢街孔廟大成門和先師門兩側。列有元、明、清三代進士題名碑一百九十八塊,其中元代三塊,明代七十七塊,清代一百一十八塊。

[典章建築]

壇廟建築

北京孔廟大成殿
位于北京東城區成賢街孔廟內。
大成殿爲北京孔廟正殿，面闊九間，進深五間，前有月臺，四周有石護欄。

[典章建築]

壇廟建築

平遥文廟

位于山西省平遥縣城雲路街。大成殿建于金大定三年（公元1163年），其餘建築爲明清所建。大成殿平面近方形，面闊五間，進深五間。殿内柱網省去明間兩根立柱，以擴大使用空間。

平遥文廟大成殿

位于山西平遥縣雲路街文廟内。

代縣文廟

位于山西省代縣城内。建于明洪武初期,以後屢有重修和擴建。

代縣文廟大成殿

位于山西代縣文廟内。
爲祭祀孔子之處。面闊五間,進深三間,單檐歇山式。

代縣文廟大成殿藻井

[典章建築]

壇廟建築

韓城文廟

位于陝西省韓城市金城區東學巷。明洪武初期在元代舊址上重修，以後屢有重修和擴建。

韓城文廟泮池及石橋

位于陝西韓城市金城區東學巷文廟内。

韓城文廟大成殿

位于陝西韓城市金城區東學巷文廟内。
爲文廟主體建築。面闊三間，暗爲五間，進深四間，單檐歇山式。

【 典章建築 】

韓城文廟尊經閣
位于陝西韓城市金城區東學巷文廟內。

武威文廟
位于甘肅省武威市東南。始建于明正統年間，以後屢有重修。由三組建築群組成，占地3萬多平方米。

武威文廟狀元橋與欞星門
位于甘肅武威市文廟內。

[典章建築]

壇廟建築

武威文廟大成殿
位于甘肅武威市文廟內。

武威文廟尊經閣
位于甘肅武威市文廟內。

【 典章建築 】

壇廟建築

貴德文廟
位于青海省貴德縣河陰鎮。始建于明萬曆二十年（公元1592年）。建築群兼容儒、道、釋三教于一體。

貴德文廟大成殿
位于青海貴德縣河陰鎮文廟內。

貴德文廟花園
位于青海貴德縣河陰鎮文廟內。

203

[典章建築]

壇廟建築

蘇州文廟

位于江蘇省蘇州市人民路。北宋景祐二年（公元1035年）蘇州知州范仲淹創建，并將府學與文廟合在一起建造，形成左廟右學的形制，爲全國州縣效仿。現在建築爲明清時期所建。

蘇州文廟欞星門
位于江蘇蘇州市人民路文廟內。

蘇州文廟大成殿
位于江蘇蘇州市人民路文廟內。

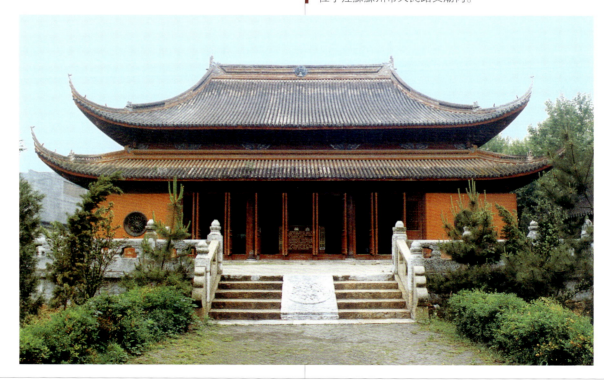

204

【 典章建築 】

富順文廟
位于四川省富順縣富世鎮解放街。始建于北宋，以後歷代皆有修葺改建。

富順文廟欞星門石坊
位于四川富順縣富世鎮解放街文廟內。

富順文廟大成殿
位于四川富順縣富世鎮解放街文廟內。

壇廟建築

205

【典章建築】

壇廟建築

德陽文廟
位于四川省德陽市文廟街。始建于南宋，明代遷建今址，清代道光年間曾大修。

德陽文廟全景
位于四川德陽市文廟街。

岳陽文廟
位于湖南省岳陽市郭亮街。始建于北宋，以後歷代均有重修及擴建。

岳陽文廟大成殿
位于湖南岳陽市郭亮街文廟內。

【 典章建築 】

壇廟建築

寧遠文廟

位于湖南省寧遠縣城東。始建于北宋，現存建築爲清代重建。

寧遠文廟大成殿

位于湖南寧遠縣文廟内。

寧遠文廟大成殿龍柱

207

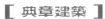

壇廟建築

泉州府文廟
　　位于福建省泉州市鯉城區中山路。始建于唐，北宋時期遷建現址，南宋重建，以後歷代屢經修葺。

泉州府文廟大成殿
位于福建泉州市鯉城區中山路文廟内。

[典章建築]

漳州府文廟
位于福建省漳州市薌城區修文西路。始建于南宋，現存建築爲明代所建。

漳州府文廟大成殿
位于福建漳州市薌城區修文西路文廟内。

廣東德慶學宮
位于廣東省德慶縣德城鎮。始建于北宋，元大德元年（公元1297年）重建，明清時期曾重修。

廣東德慶學宮大成殿
位于廣東德慶縣德城鎮德慶學宮内。

[典章建築]

壇廟建築

建水文廟

位于雲南省建水縣城内建中路。始建于元代至元二十二年（公元1285年），後經明、清多次修建。主殿先師殿建于明代。

建水文廟先師殿

位于雲南建水縣建中路文廟内。

建水文廟先師殿明間槅扇門

[典章建築]

孟廟

位于山東省鄒城市南郊。又稱亞聖廟,是歷代祭祀孟子的祠廟。始建于北宋,以後歷代均有重修,現存建築主要爲明清建築。

孟廟亞聖廟坊

位于山東鄒城市孟廟内。

孟廟亞聖廟坊

[典章建築]

孟廟亞聖殿
位于山東鄒城市孟廟内。

孟廟亞聖殿前檐石柱

[典章建築]

顏廟

位于山東省曲阜市。又稱復聖廟，是祭祀孔子弟子顏回的祠廟。始建年代不詳，據記載金代已有，元代重建，明代曾多次修葺。

顏廟復聖廟坊
位于山東曲阜市顏廟內。

顏廟優入聖域坊
位于山東曲阜市顏廟內。

[典章建築]

壇廟建築

顏廟復聖殿
位于山東曲阜市顏廟内。

顏廟顧樂亭
位于山東曲阜市顏廟内。

解州關帝廟

位于山西省運城市解州鎮。解州爲三國名將關羽的故里，故此廟爲全國武廟之祖。始建于隋，宋明時曾重修和擴建，清康熙四十一年（公元1702年）毀于火，經十餘年重建。分前後兩院，前院以崇寧殿爲主體，後院以春秋樓爲中心。

解州關帝廟鐘樓

位于山西運城市解州鎮關帝廟内。

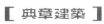

壇廟建築

解州關帝廟崇寧殿
位于山西運城市解州鎮關帝廟内。

解州關帝廟御書樓

位于山西運城市解州鎮關帝廟内。

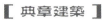

壇廟建築

解州關帝廟氣肅千秋坊
位于山西運城市解州鎮關帝廟內。

【 典章建築 】

壇廟建築

解州關帝廟春秋樓
位于山西運城市解州鎮關帝廟内。因樓内有關羽觀《春秋》的塑像,故名。左右分置刀樓和印樓,刀樓内陳列關羽所用青龍偃月刀模型,印樓陳列曹操封給關羽的"漢壽亭侯"印複製品。

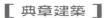

壇廟建築

伏羲廟
位于甘肅天水市秦州區西關，是祭祀伏羲的祠廟。始建于元代，明代曾大規模擴建，清代有修繕。

伏羲廟牌坊
位于甘肅天水市秦州區伏羲廟內。

【 典章建築 】

壇廟建築

伏羲廟太極殿
位于甘肅天水市秦州區伏羲廟內。

[典章建築]

壇廟建築

太昊陵廟

位于河南省淮陽縣城北的蔡河之陽，是"三皇之首"太昊伏羲氏的陵廟。據記載春秋時已有陵墓，漢以前有祠，北宋時立陵廟，現有建築多爲明清所建。

太昊陵廟午朝門
位于河南淮陽縣太昊陵廟内。

太昊陵廟全景
位于河南淮陽縣太昊陵廟内。

晋祠

位于山西省太原市西南悬瓮山麓晋水源头。始建于北魏,为纪念周成王胞弟叔虞而建,因叔虞封国称唐,故又名唐叔虞祠。经历代多次扩建,形成了有园林风味的祠庙建筑。建筑分中、东、西三路,以中路建筑为主。

晋祠圣母庙牌坊
位于山西太原市晋祠内。

[典章建築]

壇廟建築

晉祠聖母廟獻殿
位于山西太原市晉祠聖母殿前方。重建于金大定八年（公元1168年）。面闊三間，進深兩間，單檐歇山頂，是陳設祭品的場所。四周除中間前後開門外，均築檻牆，上立直欞栅欄。獻殿兩側有鐘樓和鼓樓。

晉祠水鏡臺
位于山西太原市晉祠聖母殿前方。

224

[典章建築]

壇廟建築

晉祠魚沼飛梁

位於山西太原市晉祠內。

魚沼爲一方形水池，沼上架橋稱"飛梁"，建于北宋。在池水中立石柱三十四根，柱上置木造斗栱和梁枋以架設橋面，設立石欄。十字形橋面連接聖母殿和獻殿。

[典章建築]

晉祠聖母殿
位于山西太原市晉祠内。

晉祠的主體建築。始建于北宋天聖年間，崇寧元年（公元1102年）重建，是紀念叔虞之母邑姜的殿堂。殿高19米，面闊七間，進深六間，重檐歇山頂。四周環廊，前檐八根檐柱皆以木製蟠龍纏繞。殿内無柱，正中奉聖母坐像，周圍環列四十二尊彩塑宮娥像，皆爲宋代原物。

【 典章建築 】

壇廟建築

【 典章建築 】

壇廟建築

晋祠聖母殿盤龍柱

[典章建築]

晋祠石塘和不繫舟
位于山西太原市晋祠聖母殿前方。

晋祠水母樓
位于山西太原市晋祠聖母殿前方。

[典章建築]

陵墓建築

漢陽陵

位于陝西省咸陽市渭城區正陽鎮，是西漢景帝劉啓和其皇后合葬之陵。陵區呈不規則長方形，東西長近6公里，南北寬1－3公里。陵區以帝陵爲中心，其布局四角拱圍，左右對稱。中心區設有內外城，均爲正方形，每邊垣牆的中部設闕門，闕門左右有對稱的闕臺。內外城之間有大型禮制建築。

漢陽陵南闕門東闕臺建築遺址

位于陝西咸陽市渭城區正陽鎮漢陽陵內。

漢陽陵2號建築遺址

位于陝西咸陽市渭城區正陽鎮漢陽陵內帝陵東南300米處。
平面爲正方形，邊長260米，可分爲內外兩層建築。

內層中心建築平面爲正方形，邊長53.7米，中部有一中心柱石，外圍有磚鋪迴廊和散水，每邊有十四個壁柱和三處門道。四面的鋪地磚、牆壁和屋面按方位分別塗有青、紅、白、黑四種顏色。

漢陽陵2號建築遺址中心柱石

漢杜陵

位于陝西省西安市南郊杜陵原上，是西漢宣帝劉詢之陵。經勘測，杜陵園占地120畝，四周環繞夯土圍墻。陵園以殿爲大門，墓冢在陵園正中，園內還有寢殿和便殿等建築。

漢杜陵寢園遺址

位于陝西西安市漢杜陵內。

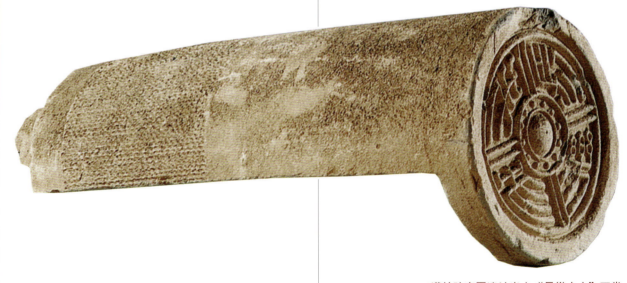

漢杜陵寢園遺址出土"長樂未央"瓦當

【 典章建築 】

西漢梁孝王墓

　　位于河南省永城市保安山,是西漢早期梁孝王及王后的陵墓。陵園平面近方形,四周設陵牆。王后墓爲大型崖洞墓,由兩個墓道、三個甬道和三十四個墓室組成。寢園位于梁孝王墓和王后墓之間的臺地上,平面呈長方形,南北長110米,東西寬60米。寢園前部以寢殿爲中心,寢殿夯土臺基東西長22.2米,南北寬16.4米,四周有院落和迴廊。寢園後部是以堂爲主的建築群。

西漢梁孝王后墓前庭

位于河南永城市保安山。

【 典章建築 】

陵墓建築

西漢梁孝王后墓棺床及通道

西漢梁孝王墓寢園寢殿遺址
位于河南永城市保安山。

南朝陵墓

分佈于江蘇省南京市郊區。現存陵墓十七處,包括三座帝陵,八處王侯墓和六處先孝墓。陵墓前有神道,神道設神獸、石柱和神道碑。

梁吳平忠侯蕭景墓神道石辟邪
位于江蘇南京市南朝陵墓内。

梁文帝蕭順之建陵神道石刻
位于江蘇南京市南朝陵墓内。

高句麗將軍墳

位于吉林省集安市洞溝河畔，是五世紀初高句麗的王陵。爲大型階壇石室墓，用石條壘築而成。階壇五級，逐層內收成階梯狀金字塔狀，邊長32.3米，高13米。墓頂部殘存柱洞，當年應建有享殿。洞溝河畔的高句麗王陵還有太王陵和千秋墓等。

高句麗將軍墳

位于吉林集安市洞溝河畔。

[典章建築]

唐乾陵

　　位于陝西省乾縣北部梁山之上，是唐高宗李治和女皇武則天的合葬陵。陵園分爲內城和外城，內城呈正方形，邊長1450米，城垣以夯土築成，四面各闢一門。陵園內有獻殿、上仙觀等建築遺址。

唐乾陵神道無字碑碑亭基址
位于陝西乾縣唐乾陵內。

唐乾陵神道六十一王賓像
位于陝西乾縣唐乾陵內。

南唐二陵

位于江蘇省南京市江寧區牛首山南麓。欽陵爲南唐先主李昪及其妻之墓，順陵爲南唐中主李璟及其妻之墓。欽陵全長21.48米，寬10.45米，高5.3米，分前、中、後三個主室和十個側室，前、中室爲磚砌，後室爲石砌，均爲仿木結構。順陵全長21.9米，寬10.12米，高5.42米，分前、中、後三個主室和八個側室，皆爲磚砌。

南唐欽陵中室

位于江蘇南京市江寧區牛首山南唐欽陵内。

[典章建築]

南唐順陵墓室
位于江蘇南京市江寧區牛首山南唐順陵內。

南漢康陵

　　位于廣東省廣州市番禺區新造鎮小谷圍島大香山南麓，爲南漢高祖劉岩之陵。地面建有陵園和方座圓丘形陵臺，陵臺正下方爲地下玄宫。

南漢康陵陵園東北角闕遺址
位于廣東廣州市番禺區新造鎮小谷圍島大香山南漢康陵内。

南漢康陵地宫中室後室
位于廣東廣州市番禺區新造鎮小谷圍島大香山南漢康陵内。

【 典章建築 】

前蜀永陵

位于四川省成都市西郊永陵東路,是前蜀開國皇帝王建的陵墓。墓室全長23.4米,最寬處6.1米,最高處6.4米,由十四道紅砂石券拱構成,分前、中、後三室,每室以木門間隔。

前蜀永陵墓室

位于四川成都市永陵東路前蜀永陵内。

宋陵

位于河南省鞏義市西村、芝田、孝義和回郭鎮一帶。有帝陵八座，皇后陵二十一座，陪葬墓三百餘座。宋陵陵園建制基本相同，均坐北朝南，周圍築有行宮和寺院。每陵皆築高大的陵臺，陵臺之下爲地臺。陵臺四周築圍墻，四隅有角樓，四周中間設神門，南神門外爲神道，神道兩側對稱排列石雕儀仗。

宋永定陵全景
位于河南鞏義市宋陵内。

宋永定陵石人馬

[典章建築]

西夏陵

位于寧夏回族自治區銀川市西郊賀蘭山東麓中段。現存王陵九座，陪葬墓二百六十餘座。西夏陵陵區均由角臺、鵲臺、碑亭、月城、陵城、門闕、獻殿和陵臺共二十餘座建築組成。

西夏陵鳥瞰

位于寧夏銀川市賀蘭山。

【典章建築】

陵墓建築

西夏陵3號陵碑亭遺址及石像座

西夏陵出土綠琉璃花紋方磚

243

【 典章建築 】

陵墓建築

西夏陵出土琉璃獸面紋瓦當

西夏陵出土琉璃蓮花紋滴水

【典章建築】

陵墓建築

西夏陵出土石螭首

西夏陵出土石礎

[典章建築]

陵墓建築

西夏陵出土琉璃鴟吻

金中都皇陵

位于北京市房山區大房山麓雲峰山下，有金國建國前十帝之陵。金陵陵區由石橋、神道、踏道、鵲臺、碑亭、殿堂、陵墻和地下陵寢組成。

金中都皇陵踏道

位于北京房山區大房山金中都皇陵内。

金中都皇陵踏道細部

[典章建築]

金中都皇陵碑亭遺址
位于北京房山區大房山金中都皇陵內。

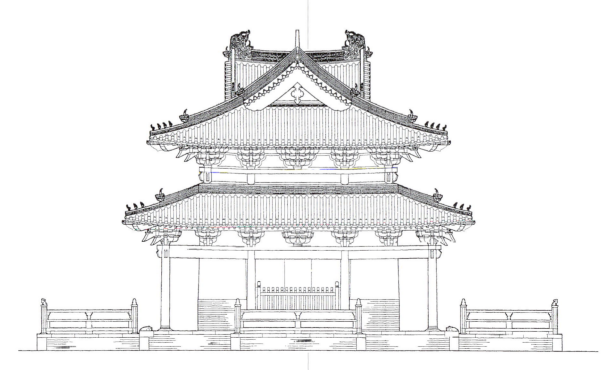

金中都皇陵碑亭南立面復原圖

[典章建築]

明皇陵

位于安徽省鳳陽縣明中都城西南，是明太祖朱元璋父母的陵墓，附葬朱元璋的兄、嫂和侄子。明洪武二年（公元1369年）始建，十年後完成。皇陵外有城垣、內外護所和祭祀設施。陵前神道兩旁對稱排列三十二對石像生。

明皇陵神道

位于安徽鳳陽縣明皇陵內。

明皇陵神道望柱

位于安徽鳳陽縣明皇陵內。

明孝陵

位于江蘇省南京市鍾山南麓獨龍阜玩珠峰下，是明太祖朱元璋和馬皇后的合葬陵。明洪武十四年（公元1381年）始建。現存遺址分爲兩部分，第一部分爲神道，包括神烈山碑、大金門、四方城、神道石刻和御橋；第二部分爲陵寢主體建築，包括碑殿、享殿、大石橋、方城和寶城明樓等。

明孝陵神道石像生

位于江蘇南京市鍾山明孝陵内。

明孝陵御橋
位于江蘇南京市鍾山明孝陵内。

明孝陵享殿遺址
位于江蘇南京市鍾山明孝陵内。

[典章建築]

陵墓建築

明孝陵享殿石螭首

明孝陵方城和明樓
位于江蘇南京市鍾山明孝陵内。

明祖陵

位于江蘇省盱眙縣楊家墩，是明太祖朱元璋爲其祖父建造的陵墓，附葬其曾祖父和高祖父的衣冠。始建于明洪武十九年（公元1386年）。

明祖陵神道

位于江蘇盱眙縣楊家墩明祖陵内。

明祖陵神道石獅和望柱

位于江蘇盱眙縣楊家墩明祖陵内。

[典章建築]

明十三陵

位于北京市昌平區天壽山南麓，是明代十三位皇帝的陵墓，有長陵（成祖）、獻陵（仁宗）、景陵（宣宗）、裕陵（英宗）、茂陵（憲宗）、泰陵（孝宗）、康陵（武宗）、永陵（世宗）、昭陵（穆宗）、定陵（神宗）、慶陵（光宗）、德陵（熹宗）和思陵（思宗）。陵區有一條7公里的總神道通向各陵，沿神道設石牌坊、大紅門和石像生等。

明十三陵石牌坊

位于北京昌平區天壽山明十三陵内。

【 典章建築 】

明十三陵大紅門
位于北京昌平區天壽山明十三陵内。

明十三陵神功聖德碑亭
位于北京昌平區天壽山明十三陵内。

明十三陵神道

位于北京昌平區天壽山明十三陵内。

明十三陵長陵

位于北京昌平區天壽山明十三陵内。

明成祖朱棣和皇后徐氏的陵寢，爲明十三陵中建築最早、規模最大的一處。陵園由三進院落組成，祾恩殿是長陵的主體建築，是舉行祭祖的場所。陵園的後部爲寶城，寶城前設方城明樓。明十三陵其他陵園布局同長陵基本相同，但規模略小。

明十三陵長陵龍鳳門

【 典章建築 】

陵墓建築

明十三陵長陵祾恩門

明十三陵長陵祾恩殿

[典章建築]

陵墓建築

明十三陵長陵祾恩殿內景

明十三陵長陵祾恩殿後檐

【典章建築】

陵墓建築

明十三陵長陵方城明樓

明十三陵長陵方城明樓前石五供

明十三陵定陵

位于北京昌平區天壽山明十三陵內。明神宗朱翊鈞和孝端、孝靖兩位皇后的陵寢。陵園布局與長陵大致相同,現除明樓和寶城尚存,其他地面建築僅存基址。定陵地宮由前、中、後、左、右五座高大寬敞的殿堂組成,全部爲石質拱券結構,構築面積1195平方米。

明十三陵定陵神道橋

明十三陵定陵陵園第二道門

【 典章建築 】

陵墓建築

明十三陵定陵地宮石門

[典章建築]

陵墓建築

明十三陵定陵地宮中殿

明十三陵定陵地宮玄堂

明顯陵

位于湖北省鍾祥市松林山，是明世宗朱厚熜父母合葬墓。明正德十四年（公元1519年）按藩王墓規格始建，嘉靖三年（公元1524年）以帝陵規制改建。

明顯陵金水橋和神道
位于湖北鍾祥市松林山明顯陵内。

明顯陵龍鳳門
位于湖北鍾祥市松林山明顯陵内。

【 典章建築 】

陵墓建築

明顯陵明樓和內明塘
位于湖北鍾祥市松林山明顯陵內。

明楚昭王墓

位于湖北省武漢市武昌區東龍泉山天馬峰南麓，是朱元璋第六子朱楨之墓。楚昭王墓建築格局保存完好，爲明初藩王墓的重要實例。

明楚昭王墓主體建築群

位于湖北武漢市武昌區東龍泉山明楚昭王墓内。

[典章建築]

明蜀僖王墓

位于四川省成都市龍泉驛區十陵鎮石靈山，是明蜀僖王朱友壎之墓。明蜀僖王葬于明宣德九年（公元1434年）。其墓上建築已不存，但地宮保存完好。地宮進深28米，由三重墓室組成，皆爲石構仿木建築。

明蜀僖王墓地宮入口

位于四川成都市龍泉驛區十陵鎮石靈山明蜀僖王墓內。

明蜀僖王墓地宮中室
位于四川成都市龍泉驛區十陵鎮石靈山明蜀僖王墓内。

[典章建築]

明潞簡王墓

位于河南省新鄉市鳳凰山南麓，是明潞簡王朱翊鏐之墓。明潞簡王卒于萬曆四十二年（公元1614年）。墓區南北長500米，神道兩側列置華表一對和石像生十六對，墓園内建中門、拜臺、享殿、明樓和寶城。地宫高大寬敞，總面積198平方米。明潞簡王墓營造逾制，是明代藩王墓中規模最大、體系最完整的。

明潞簡王墓潞藩佳城坊

位于河南新鄉市鳳凰山明潞簡王墓内。

【 典章建築 】

陵墓建築

明潞簡王墓神道石像生
位于河南新鄉市鳳凰山明潞簡王墓内。

明潞簡王墓墳園内院
位于河南新鄉市鳳凰山明潞簡王墓内。

[典章建築]

陵墓建築

明潞簡王墓方城明樓碑和石五供
位于河南新鄉市鳳凰山明潞簡王墓内。

明潞簡王墓地宫
位于河南新鄉市鳳凰山明潞簡王墓内。

清永陵

位于遼寧省新賓滿族自治縣永陵鎮西北，是清皇室的祖陵。始建于明萬曆二十六年（公元1598年），初稱興京陵，清順治十六年（公元1659年）改稱永陵。整個陵區由前院、方城和寶城三部分組成，占地1.1萬多平方米。

清永陵四祖碑亭
位于遼寧新賓滿族自治縣永陵鎮清永陵內。

清福陵

位于遼寧省瀋陽市東部，是清太祖努爾哈赤和皇后葉赫那拉氏的陵墓。始建于後金天聰三年（公元1629年），清順治八年（公元1651年）基本建成，占地19萬平方米。陵區主體爲方城，方城內建隆恩殿，輔以東西配殿。方城後爲陵寢所在的月牙形寶城。

清福陵石牌樓
位于遼寧瀋陽市清福陵內。

[典章建築]

陵墓建築

清福陵神功聖德碑樓
位于遼寧瀋陽市清福陵内。

【 典章建築 】

陵墓建築

清福陵隆恩門
位于遼寧瀋陽市清福陵內。

清福陵明樓
位于遼寧瀋陽市清福陵內。

【典章建築】

清昭陵

位于遼寧省瀋陽市北部，是清太宗皇太極和孝端文皇后的陵墓。建于清崇德八年（公元1643年），順治八年（公元1651年）建成，占地16萬平方米。陵區前部參道兩側置華表和石像生等，陵區主體爲城堡式方城，方城正中爲隆恩殿，東西有配殿，四方有角樓，方城後部有明樓。方城之後爲月牙形寶城。

清昭陵石牌坊

位于遼寧瀋陽市清昭陵内。

【 典章建築 】

清昭陵隆恩門
位于遼寧瀋陽市清昭陵內。

清昭陵隆恩殿
位于遼寧瀋陽市清昭陵內。

【 典章建築 】

清東陵

位于河北省遵化市馬蘭峪鎮的昌瑞山下,是清代皇室墓群之一。陵區面積約80平方公里,有帝陵五座,后陵和妃陵十五座。五座帝陵是順治帝的孝陵、康熙帝的景陵、乾隆帝的裕陵、咸豐帝的定陵和同治帝的惠陵。

清東陵孝陵

位于河北遵化市馬蘭峪鎮昌瑞山清東陵内。是清世祖愛新覺羅‧福臨的陵寢，爲清東陵最早的建築，也是清東陵的主體建築。全陵建築以寬12米，長近6公里的神道貫穿。入口處爲巨大的五間六柱十一樓石坊，過大紅門後依次爲高大的神功聖德碑樓、十八對石像生、龍鳳門、石橋、朝房、值房、隆恩門、隆恩殿及配殿、三座門、二柱門、石五供、方城明樓和寶城寶頂等。寶頂下爲地宫。

清東陵孝陵石牌坊

[典章建築]

陵墓建築

清東陵孝陵神道

清東陵孝陵前廣場

[典章建築]

清東陵孝陵方城明樓

清東陵裕陵
位于河北遵化市馬蘭峪鎮昌瑞山清東陵內。是清高宗愛新覺羅·弘曆的陵寢。陵區建築以神道貫穿，并與孝陵主神道相連。地宮進深54米，全部為石構拱券式，分為明堂、穿堂、金堂，各為長方形，整座地宮構成"主"字形。各堂券的四壁及券頂都有浮雕、佛像、圖案和經文。

清東陵裕陵神功聖德碑樓

[典章建築]

陵墓建築

清東陵裕陵牌樓門

清東陵裕陵隆恩殿

【典章建築】

陵墓建築

清東陵裕陵琉璃門

清東陵裕陵
方城明樓

281

[典章建築]

陵墓建築

清東陵裕陵地宮明堂

【 典章建築 】

陵墓建築

清東陵裕陵地宮金堂

[典章建築]

■ 普陀峪清定東陵

　　位于河北省遵化市馬蘭峪鎮昌瑞山普陀峪，是咸豐帝的孝欽慈禧皇后的陵寢。此陵地面建築的内部装修和雕刻工藝，是清陵中最華麗的。

普陀峪清定東陵全景
位于河北遵化市馬蘭峪鎮昌瑞山普陀峪。

普陀峪清定東陵隆恩殿
位于河北遵化市馬蘭峪鎮昌瑞山普陀峪清定東陵内。

【 典章建築 】

陵墓建築

普陀峪清定東陵隆恩殿暖閣

[典章建築]

普陀峪清定東陵隆恩殿殿前丹陛

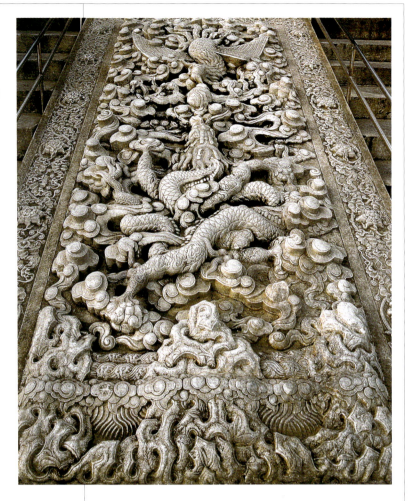

普陀峪清定東陵琉璃門
位于河北遵化市馬蘭峪鎮昌瑞山普陀峪清定東陵内。

普陀峪清定東陵明樓
位于河北遵化市馬蘭峪鎮昌瑞山普陀峪清定東陵内。

清西陵
　　位于河北省易縣永寧山下，是清代皇室陵墓群之一，陵區面積100餘平方公里。清代自雍正起，實行昭穆之制，祖孫葬于一地，乾隆時又有詔定父子不葬一地之制。清西陵有帝陵四座，后陵和妃陵六座。四座帝陵是雍正帝的泰陵、嘉慶帝的昌陵、道光帝的慕陵和光緒帝的崇陵。清西陵的建築形式和布局與清東陵相同。

清西陵泰陵
位于河北易縣永寧山清西陵内。
清世宗愛新覺羅‧胤禛和一后一妃的合葬陵，是清西陵最早的和規模最大的陵寢。

清西陵泰陵石牌坊

【 典章建築 】

清西陵泰陵神道碑亭

清西陵泰陵隆恩殿

清西陵泰陵方城明樓

清西陵慕陵

位于河北易縣永寧山清西陵内。

清宣宗愛新覺羅·旻寧和三位皇后的合葬陵。陵區規模較小，沒有大碑樓、石像生和明樓等建築，殿宇也不施彩繪。但隆恩殿全部以楠木建造，殿内藻井、檀枋和門窗上均雕刻數以千計的雲龍和蟠龍，富于變化，精美异常。

清西陵慕陵隆恩殿

[典章建築]

清西陵慕陵隆恩殿室內天花

清西陵慕陵石牌坊

【 典章建築 】

大禹陵

位于浙江省紹興市東南的會稽山北麓禹陵村，由禹陵、禹廟和禹祠等組成。禹廟和禹祠始建于南朝梁大同十一年（公元545年），後屢廢屢建，現存禹廟爲清中期所建。

大禹陵全景

位于浙江紹興市會稽山禹陵村。

[典章建築]

陵墓建築

孔林

又稱宣聖林、至聖林。位于山東省曲阜市城北，是孔子及其後代的墓地。歷代帝王不斷賜以祭田、墓田，使面積逐漸擴大，至清代已達3000畝，林墻周長近6公里。林區内有明清時期的石、木建築二十餘座。

孔林神道萬古長春坊

位于山東曲阜市孔林内。

孔林神道西碑亭
位于山東曲阜市孔林內。

孔林至聖林坊
位于山東曲阜市孔林內。

【 典章建築 】

陵墓建築

孔林二林門城樓
位于山東曲阜市孔林內。

孔林甬道石獸和石人
位于山東曲阜市孔林內。

【 典章建築 】

孔林享殿
位于山東曲阜市孔林内。

孔林孔子墓
位于山東曲阜市孔林内。